JN051878

アメリカの幼稚園では
こうやって英語を教えている

英語が話せない子どものための英語習得プログラム
単語編

PHONICS OF CONSONANTS

Sumiko Leeper

リーパー・すみ子

径書房

CONTENTS
目次

はじめに
本書を書こうと思った理由
THE REASON I DECIDED TO WRITE THIS BOOK

　私はアメリカ・ニューメキシコ州アルバカーキ市の公共図書館や小学校で、20年間にわたって図書館司書（ライブラリアン）として働いてきました。アルバカーキの公立小学校には、スペイン語が母国語のメキシコ移民の子どもたちがたくさん通ってきていました。

　その小学校で、英語を「話せず、書けず、読めない」移民の子どもたちへの英語教育に長年たずさわってきた経験から、初めて英語を学ぶ日本の子どもたちのために書いたのが、『アメリカの小学校ではこうやって英語を教えている』『アメリカの小学校では絵本で英語を教えている』（いずれも径書房刊）です。

　仕事をリタイアした今は、幼稚園教師として働いている友人のクラスに出向き、読み聞かせや、ちょっとした授業の手伝いをして、ときどき教師たちのワークショップにも参加させてもらっています。

　アメリカの幼稚園（キンダーガーテン）は、小学校に組み込まれていて、5歳からの義務教育です。そこで、幼稚園児たちは、毎日の生活の中で使っている単語が、文字でどのように表現されるのかを学んでいるのです。

　幼稚園で手伝いをするようになったばかりのある日、園児が「fromって、どう綴るの?」と私に訊いてきました。
「〝エフ、アール、オー、エム〟よ」
　と、答えていると、友人であるヒスパニック系の先生が駆け寄ってきて、

大声をあげて園児に言いました。

「どうして、そんなやさしい単語が書けないの！」

　先生には、ラテン系の血が流れています。怒るときは大声を出し、褒める
ときは、ほっぺたをすり寄せて抱きしめたりします。

　そして、彼女は、私にこう言うのです。

「〝フ、ル、オ、ム〟とサウンド（音）で答えてほしいの。〝エフ、アール、オー、
エム〟と英語のアルファベットで言っても、子どもたちはわからないわよ」

　文字の「読み方（アルファベット）」ではなく、文字の「音」をしっかり
把握させたうえで、その文字の音のつながりである単語を教えることで正し
い読み方を身につけさせる方法を「フォニックス（Phonics）」といいます。

　文字と音を結びつけながら学んでいくと、単語を書く力もしっかりと身に
ついていくというのが「フォニックス」の基本的な考え方。

　この友人の幼稚園では、「フォニックス」を実践していたのです。

　20年ほど前、私が働いていた頃、幼稚園の園長でもあった校長先生は、
「フォニックスは、機械的で嫌い」「フォニックスという言葉を聞くのもいや」
と公言し、絵本を読んだり、歌を唄って音を習わせるという教育法を実践し
ていました。良し悪しはともかく、アメリカでは、時代によって教育方針が
どんどん変わっていくのです。

　最近は「フォニックス」つまり「単語を音で教える」のがアメリカの幼稚
園教育の主流。文字の音がわかっていれば、単語を読んだり書いたりする力
も自然と身についていくという考え方です。

　この本は、アメリカの幼稚園児たちが、ひとつひとつの単語の音を区切っ
て習い、それらの音をつなげることでひとつの単語として覚えていく過程を
間近で観察して、「なるほど」と思ったことから生まれました。

本書では、簡単な単語を覚えるのと同時に、英語を発音するときの「舌の使い方」、「のどの震（ふる）わせ方」、「口の開き方（縦に開けるか、横に開けるか）」などを、ゆっくり順を追って説明していこうと思います。

　ここでひとつ大切なことを言います。英語は、日本語と違って「母音（ぼいん）」ではなく「子音（しいん）」を強く発音するということです。この、「子音強調」は、いつも肝に銘じておいてください。

　さらに、「子音強調」と合わせてブレンド（音の混合）や、長い単語はシラブル（音節）ごとに読むなど、英単語学習の基本テクニックも紹介します。それが、英語学習の基礎となる「はじめの一歩」だからです。

　また、単純な単語の発音練習だけでは飽きてしまうでしょうから、応用編として「わらべ歌」や「チャンツ（詠唱、唱和）」なども、たっぷり用意しました。習った音を楽しみながら練習して単語を学んでください。

「英語はある程度話せるけれど、もっと掘りさげて発音を知りたい、原点に返って英語を学びたい」という方も日本にはいらっしゃると思います。言語は、文化や歴史、その時代の衣食住や流行を反映しています。お子さんだけでなく、お母さんも一緒に、音と文字の結びつきを楽しく学んでください。

1

指サインを使って
英単語を学ぶ

HOW TO LEARN ENGLISH
PRONUNCIATION:
USING FINGERS

▶音と音がつながると単語になる
WHEN SOUNDS ARE CONNECTED TOGETHER, THEY BECOME WORDS

　アメリカの子どもたちは、生活の中で使う単語、たとえば、「猫」は cat だと知っています。

　それは、「c」と「a」と「t」の３つの音がつながったものが cat という言葉だと習っているからです。（以降は /c /a/ t/ と表記します）同じように、「犬」は、/d /o /g/ の３つの音がつながって、dog になります。アメリカでは、いくつかのバラバラの音をつなげると単語になる、と子どもたちに教えているのです。

　ニューメキシコ州で最も大きい街であるアルバカーキ市には、私が勤めていた学校を含めて 60 以上の小学校があります。2017 年頃、アメリカの教育理論をリードするウィルソン社が提唱する「ファンダメンタル」というフォニックス論（アルファベットの文字と発音の関係を教える理論）を取り入れることがアルバカーキ市の教育委員会で決定され、今ではほとんどの小学校で実践されています。

　文字と音が結びついていく過程については、『アメリカの小学校ではこうやって英語を教えている』で詳しく説明していますので、あわせてお読みく

ださい。

「ファンダメンタル」では、単語を教えるときに、指サインを使います。

　たとえば、pig＝「ブタ」なら、親指と人差し指で「OK」のように丸（円）を作り、／p／「プッ」と言います。
　次に親指と中指で丸を作り、／i／「イ」の音を出します。
　最後に薬指と親指で丸を作り、／g／「グッ」。

　全部つなげて、pig という単語の発音になります。
　音を区切りながら、順番に指で３回「OK」サインを作るわけです。

　指で「OK」サインを作るやり方でなくてもかまいません。私は指を順番に立てていくやり方が簡単でわかりやすいと思うので、本書ではこの方法で進めていきたいと思います。

ある音楽の先生は、手のひらで机をポンポンと叩き、強弱をつけたリズムにのせて、単語を教えていました。小さな物差しやペンなどを使って、机を叩いてもいいでしょう。ご自分のやりやすい方法を見つけてください。

　なお、pig の / p / と / i / をつなげて、/ p i / とするように、2つの音をつなげて発音することを「ブレンド（blend）する」といいます。主に子音と母音をつなげて発音するときに使う言葉です。

　子どもたちに英単語を教えるときには、アルファベットを1文字ずつ書いたカードを手作りしておくとよいと思います。アルファベットは全部で26文字ですから、カードは全部で26枚になりますね。ただ、単語によっては同じアルファベットを複数使う場合もありますから、徐々に増やしていくとよいでしょう。

▶子音にもっと目を向けよう！
MORE FOCUS ON CONSONANTS

「フォニックスについての本なら、まず子音。子音から始めるべきよ」

　教職に就いている友人のアドバイスです。これが、現在のアメリカの英語教育の現場から届く生の声なんです。

　日本語は、母音を強く発音する言語です。ところが、英語は、子音と母音が一緒になる（ブレンドする）と、母音を軽く、子音を強く発音します。

　つまり、日本語と英語の最大の違いは、母音を強調するか、子音を強調するかなのです。

　本書では、アメリカの幼稚園での英語の教え方を紹介しながら、子音にしっかりと目を向けて英語を学んでいきたいと思います。

　日本人にとって、子音の発音はなじみが薄いかもしれませんが、この機会にお子さんと一緒に正確に英語を学んでいきましょう。

　アルファベット26文字のうち、母音は、a, e, i, o, uの5文字、子音は残りの21文字ですが、それは文字だけに限定した考え方です。いろいろな説がありますが、音としては、半母音・曖昧母音などを含めると、母音は20音、子音は24音あるといわれています。

　そして、より正確な発音を求められる子音のほうが、母音よりも発音は難しいとされています。

　本書では、アメリカの幼稚園で教えられている、5つの短母音と21の子音をしっかりと身につけることに集中します。th、sh、ch　など子音2字で1つの音を表す二重音字（digraph）や、正式な長母音については、小学生になってからの課題として、ここではあまり触れません。

▶子音を強調するとネイティヴ発音に近づく
HOW TO EMPHASIZE CONSONANTS TO GET CLOSER TO A NATIVE PRONUNCIATION

　アメリカの幼稚園児が、まず最初に学ぶのは、３文字の単語。３文字のうちの真ん中は必ず短母音です。cat、mat、jet、fit……ほら、どれも短母音が子音２つにはさまれているでしょう。

　たとえば cat の場合、母音の / a / より、子音の / c / を強く発音すると英語ネイティヴ（英語が母国語の人）の発音に近づきます。mat なら / m /、jet なら / j / を、大げさなくらい強く発音してみてください。

　日本語は、特に母音を強く発音する言語です。日本語の感覚のままで、英語でも母音を強く発音すると、いかにも訛{なま}りのある英語に聞こえてしまいます。ネイティヴの発音に近づけるには、とにかく子音を強調することです。

　英語では母音を vowel、子音は consonant といいます。そのため、教科書などでは、それぞれ「V」「C」と示されます。

　まずは「C（子音）＋ V（母音）＋ C（子音）」で構成されている３文字単語から、英語での音のブレンドのやり方に慣れていきましょう。それになじんできたら、長い単語にも挑戦していきたいと思います。

　そうすれば、将来、長い単語に出合ったときでも、シラブル（音節）で区切って読めばいいのだとわかってきますよ。

2

口の開き方でグループ分けして、
子音を学ぶ

LEARN CONSONANTS:
HOW TO OPEN YOUR MOUTH

口の開き方で子音をグループに分け、その特徴をつかみながら、ひとつずつ学んでいきます。「はじめに」でも述べたように、子音を強調することで英語らしい発音になります。とにかく子音、子音です。子音を意識することから始めていきましょう。

　また、発音記号とともに、カタカナも記載しておきました。ただし、英語の音はカタカナでは正しく表記できません。

　「カタカナは、英語の音のトランスレーション（翻訳）だ」とプリンストン大学で日本語を学び、現在、日本政府機関で翻訳者として働いているアメリカ人の知人が言っていました。もともと違う言語だから、英語の「音」をカタカナで「完全に表す」なんて無理だということです。ですので、カタカナはあくまで、参考、ガイド的な存在とご理解ください。

　実はアメリカの教育現場では、あまり発音記号を教えません。せいぜい中学校で一、二度習う程度です。もともと英語は、ラテン語の影響を大きく受けています。時代の流れとともにゲルマン系のドイツ語の要素が加わり、さらに地域や時代によって発音が変化することもあって、発音記号のルールが統一されていないのです。

　ですから、アメリカの小学校では、声に出して「音」を聞くことで単語を学ぶ教育法が主流になっています。

　たとえば、sign の発音記号は、[sáin] だけでなく、辞書によって [sine] だったり、[sīn] だったりします。言語学者によって解釈が違うのでしょう。そのため友人の教師は、耳で聞いて、音の出し方や、アクセントをどこに置くか、リズムやイントネーションはどうかを学ぶことが大事だと言っています。

　本書で伝えたいのは、まず、ひとつひとつの音を、声に出して発音してみることの大切さ。続いて、ひとつひとつの音がどのようにつながるのか、つまり、どうやって「ブレンド」されているのかを学んでいくメソッド（方法）

をお伝えします。

　アルバカーキ市の小学校で採用されているメソッドは、単語を構成しているひとつひとつの音を声に出して発音し、その音をブレンドさせ、正しい単語の発音を学ぶ教育法です。つまり、本書は、「アメリカの幼稚園ではこうやって英語（国語）を教えている」という、現地報告ともいえるのです。

◉ International Phonetic Alphabet

　International Phonetic Alphabet（国際音声記号）とは、あらゆる言語の音声を文字で表記する音声記号、発音記号のことです。しかし、英語の発音記号は辞書によって違います。たとえば、Oxford English Dictionary（オックスフォード英語辞典）ならイギリス式発音、Merriam-Webster Dictionary（メリアム・ウェブスター辞典）ならアメリカ式発音です。

　アメリカ英語は、南部は訛りが強いにせよ、階級によってアクセントも表現も違うイギリス英語よりずっと発音の違いが少ないといわれています。世界的には、アメリカ英語のほうが、広く使われているので、本書は、アメリカ式のアクセントで表記しました。

まず破裂音で爆発させましょう

　日本語を母語とする人にとって、それほど抵抗がなく発音できるのは、口先で音を破裂させる破裂音でしょう。破裂音とは、一度息を止め、その後、空気を勢いよく吹き出す音です。　まずは簡単な「p」の音から。続いて似た者夫婦の「b」。「p」と「b」は無声音と有声音の違いです。フォニックスは、大きく分けると、有声音と無声音に分けられます。それぞれの特徴をしっかり意識して、実際に声に出して、発音しながら覚えていきましょう！

グループ **1** ｜ P, B　ばっちり破裂音

P, p

- -

単語に含まれたときの音はプッ・プッ・プッ [p]

Pig　　　　　　**Pen**　　　　　　**Pot**

◇アルファベットの P、p の名前は、「ピィー」[píː]

　だけど、単語の中に入ると「プッ」[p] という音になります。

◇「プッ」の音の出し方、口の開け方を練習しましょう。

　思わず「プッ！」と吹き出してしまうときに出す音。スイカの種を口から「プッ」と吐き出すときのように、息を吹き出します。空気を破裂させる無声音です。種を吐き出すような感じで「プッ」とやってみましょう。/ p /／/ p /／/ p /。スイカの種は、うまく飛ばせましたか？

スイカの種を
思いきり
吐き出すように

◇「プッ」の発音ができたら、単語の中でほかの文字とどのようにブレンドするか見てみましょう。文字を見ながら、1字ずつ声に出して練習します。

Pig [píg] プッィグッ（豚）

1. 親指を立て、p《プッ》と息を破裂させます。
2. 人差し指を立て、i《イ》。母音の i は口をスマイル調に横に開け、舌は下の歯茎につけて。
3. 中指を立て、g《グッ》。息を止めてのどの奥から「グッ」と破裂させます。のどが振動しているかな。

pi（子音＋短母音）は、音のブレンドです。子音の p が強く、スマイル調で出す母音の i は 弱めに。そしてのどの奥から音を破裂させる g を加えます。カタカナで書くと「ピィグッ」に近くなります。

Pen　[pén]　プッェンヌ　（ペン）

1. 親指を立て、p《プッ》と息を破裂させます。
2. 人差し指を立て、e《エ》。ほとんど日本語の「エ」と同じ音です。口を横に開き、「エッ、聞こえないわ」の「エッ」。
3. 中指を立て、n《ンヌ》。n は、舌を前歯の後ろにつけて、鼻から音を出す鼻音です。

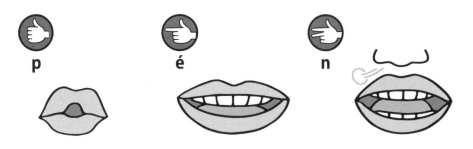

p　　　　　　　é　　　　　　　n

　pe（子音＋短母音）はブレンドすると「ペェ」に近い音になります。全体では「ペェンヌ」という感じの発音です。

Pot [pát] プッァトゥッ（なべ、ポット）

1. 親指を立て、p《プッ》と息を破裂させます。

2. 人差し指を立て、o《ア》。2本指が入るくらい、大きく口を開けて「オ」
   と言うと、「ア」に近い音になります。オとアの中間音です。

3. 中指を立て、t《トゥッ》。舌を上の歯茎の後ろにつけて、無声で破裂させ
   てください。

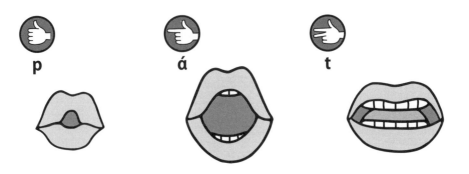

　「プッ」のあとの [á] の音は、ノドチンコ（口蓋垂）が見えるくらいに口
を大きく開けて「ア」。po（子音＋短母音）のブレンドなのでPを大きくす
ると「パァ」に近くなります。その後すぐ、舌を前歯の後ろにつけて「トゥッ」
と破裂させます。全部を続けると、「パァトゥッ」という感じです。

声に出して読んでみましょう。p で始まる単語をたくさん使っています。楽しいですよ！

Pink pig　ピンクのブタ

My **p**et is a **p**ink **p**ig.	私のペットはピンクのぶた
My **p**ink **p**ig is eating a **p**ear.	私のピンクのブタは、梨を食べています
My **p**ig is here.	私のブタは、こっちにも
My **p**ig is there.	あっちにも
My **p**ig is everywhere !	どこにでも！
Poink, **p**oink, **p**oink.	ポインク、ポインク、ポインク

　英語でブタの鳴き声の擬音語は「oink」ですが、「Poink」と遊んでみました。「pear」は、西洋梨 [pɛ́ər] のことです。

見ながら一緒に発音しよう　リーパーすみ子　p の音
https://www.youtube.com/watch?v=wZuqsBJk1ng

　次は、アリタレーション（単語が同じ音で始まっていること）が面白い、マザーグースの「Peter Piper（ピーター・パイパー）」です。p がたくさん出てきます。舌をかまずに読めるかな？　もし長過ぎたら、1 行だけでもいいので、何回も読んでみましょう。

Peter Piper　ピーター・パイパー

Peter **Pi**per **p**icked a **p**eck of **p**ickled **p**epp**ers**;
A **p**eck of **p**ickled **p**epp**ers** **P**eter **Pi**per **p**icked.
If **P**eter **Pi**per **p**icked a **p**eck of **p**ickled **p**epp**ers**,
Where's the **p**eck of **p**ickled **p**epp**ers** **P**eter **Pi**per **p**icked？

ピーター・パイパーは、1 ペックのとうがらしのピクルスをすくった
ピーター・パイパーがすくった 1 ペックのとうがらしのピクルス
ピーター・パイパーが 1 ペックのとうがらしのピクルスをすくったなら、
ピーター・パイパーがすくった 1 ペックのとうがらしのピクルスはどこにあるのだろう？

　「A peck of」というのは、計量単位の「1 ペック」（約 9 リットル）からきていて、「たくさん」という意味で使われています。

B, b

単語に含まれたときの音はブッ・ブッ・ブッ [b]

Bat   **Bus**   **Web**

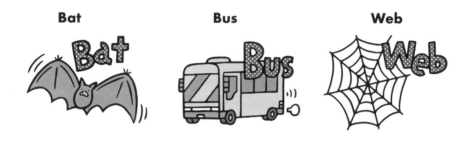

◇アルファベットの **B, b** の名前は、「ビィー」[bíː]。

だけど、単語の中に入ると「ブッ」[b] という音になります。

◇「ブッ」の音の出し方、口の開け方を練習しましょう。

口の開け方は p と同じで、p が無声音、b が有声音、という違いだけ。ちょっと下品ですが、おならのブッという音ですね。口を閉じ、息を止め、「ブッ」と勢いよく破裂させます。/b/ /b/ /b/。おならは勢いよく出ましたか？

おならみたいに勢いよく！

◇「ブッ」の発音ができたら、b の音を使った単語の練習です。単語の中に入ると、どのようにブレンドされるのでしょうか。

Bat ［bǽt］　ブッァトゥッ　（コーモリ）

1. 親指を立て、b《ブッ》と息を破裂させます。

2. 人差し指を立て、a《ア》。つぶれたような [æ] の音は、口を横に開いて「ア」。
   a と e が一緒になったのが æ です。

3. 中指を立て、t《トゥッ》。舌を上の歯茎の後ろにつけ、破裂させます。

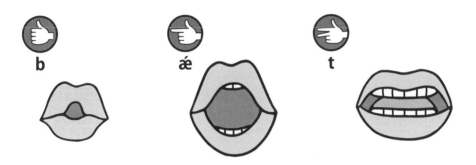

　ba（子音＋短母音）はブレンドすると、口を横に大きく開いて、つぶれ
たような音の「バァ」になります。 t を加えて一緒に発音すると、カタカナ
感覚 では「バァットゥッ」 に近い感じです。Bat は、破裂音が２つも入っ
ている楽しい単語です。

Bus [bʌ́s] ブッァス（バス）

1. 親指を立て、b《ブッ》と息を破裂させます。
2. 人差し指を立て、短く u《ア》。口を横に開けて、のどの奥から発音します。
3. 中指を立て、s《ス》。舌先を前歯の後ろに近づけて、息を吐き出します。

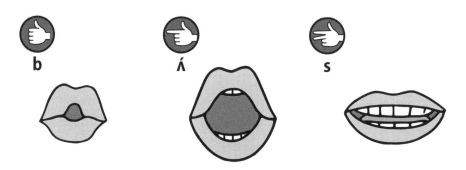

　カタカナでは同じ「ア」でも、口を横に開き、つぶれたような発音になる [æ] と、日本語の「ア」に近いのどの奥から軽く出す [ʌ] はまったく違う音です。英語の発音の難しさ、ここにあり、です。

　Bus はカタカナにすると「バァス」に近くなります。

Web [wéb]　ウェブッ（クモの巣）

1. 親指を立て、w《ウー》。キスをするように口を突き出して、伸ばし気味に。
2. 人差し指を立て、e《エ》。口を横に広げて、にっこりスマイル調の「エ」。
3. 中指を立て、b《ブッ》と息を破裂させます。

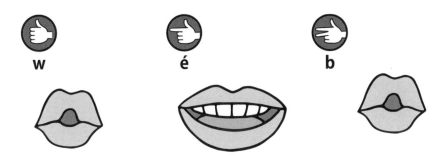

w	**é**	**b**

　we（子音＋短母音）がブレンドされて「ウェ」、破裂音の「b」があとに続き、
カタカナにすると「ウェブッ」に近くなります。

　マザーグースの「Baa, Baa, Black Sheep（メエメエ黒ひつじさん）」を歌いながら、b が出てきたところを丸で囲ってみましょう。

♪ Baa, Baa, Black Sheep　メエメエ黒ひつじさん

Baa, baa, black sheep,	メエメエ、黒ひつじさん
Have you any wool ?	ウール（羊毛）はありますか？
Yes, sir, yes, sir,	あります、あります
Three bags full !	3つの袋いっぱいに！
One for the master,	1つはだんな様に、
One for the dame,	1つは奥様に、
And one for the little boy	そして1つは
Who lives down the lane.	道の向こうに住んでる坊やに
Baa, baa, black sheep,	メエメエ、黒ひつじさん
Have you any wool ?	ウール（羊毛）はありますか？
Yes, sir, yes, sir,	あります、あります
Three bags full !	3つの袋いっぱいに！
One for the master,	1つはだんな様に、
One for the dame,	1つは奥様に、
And one for the little boy	そして1つは
Who lives down the lane.	道の向こうに住んでる坊やに

A B C D E F G H I J K L M N O P Q R S T U V W X Y Z

口の開き方でグループ分けして、子音を学ぶ　**31**

グループ2 | T, D 舌を前歯の後ろに 口を横に開きます

T, t

- -

単語に含まれたときの音はトゥッ・トゥッ・トゥッ [t]

Top   **Tub**   **Ten**

一度
息を止めてから、
勢いよく破裂！

◇アルファベットの T, t の名前は、「ティー」[tíː]

  だけど、単語の中に入ると「トゥッ」に近い無声音です。

◇「トゥッ」の音の出し方、口の開け方を練習しましょう。

  口を少し開け、舌を前歯の後ろにつけて、「トゥッ」と破裂させます。

カタカナでは説明しにくい音です。t の音をきれいに出せると、きれいな英語に聞こえます。

◇「トゥッ」の発音ができたら、単語の中でどのようにブレンドされるのか、例を見てみましょう。

Top [táp] トゥアプッ（頂上）

1. 親指を立て、t《トゥッ》。舌を前歯の後ろにつけて、破裂させます。
2. 人差し指を立て、口を縦に大きく開けて、のどの奥から短く軽く「ア」[á] と発音します。
3. 中指を立て、p《プッ》とスイカの種を吐き出すように。

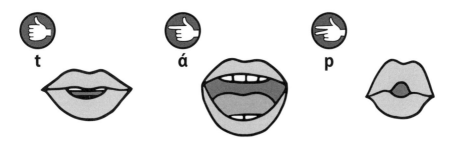

　to（子音＋短母音）は、ブレンドすると「タァ」になります。短い「ァ」です。それに p を加えて「タァプッ」。最後の p の音もおざなりにしないで、破裂させてください。

Tub　[tʌb]　トゥァブッ（たらい）

1. 親指を立て、t《トゥッ》。舌を前歯の後ろにつけて、破裂させます。子音
   のt は威張っています。
2. 人差し指を立て、u《ア》。母音のu は口を少し開けて、弱めに「ァ」と
   発音してください。
3. 中指を立て、b《ブッ》と息を破裂させます。

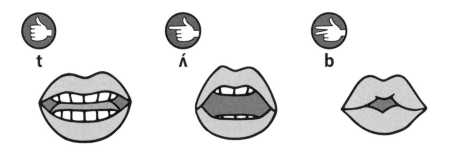

　tu（子音＋短母音）はブレンドすると、短くなって「トゥァ」に近くなり
ます。b を加えて「トゥァブッ」です。

Ten　[tén]　トゥエンヌ（10）

1. 親指を立て、t《トゥッ》。舌を前歯の後ろにつけて、破裂させます。

2. 人差し指を立て、e《エ》。口を横に広げて、「エ」。

3. 中指を立て、n《ンヌ》。n は、舌を前歯の後ろにつけて、鼻から音を出す
   鼻音です。

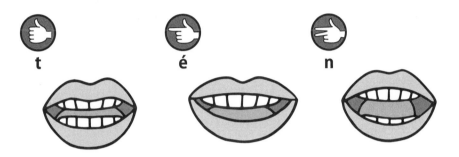

t　　　　　　　é　　　　　　　n

全体を続けて発音すると「トゥェン」という感じになります。

さらに子音が２つ並んでいる単語、２音節の単語も練習してみましょう。

Tree　[trí:]　トゥッゥルィー　（木）

　この単語で注目すべきことは、ｔとｒの２つの子音が連続していることです。
日本人にとって難しいのは、ついｔとｒの間に母音を入れてしまいがちなこ
と。つまり、t/ree であって、tu/ree（ツリー）ではありません！

1. 親指を立て、ｔ《トゥッ》。舌を前歯の後ろにつけて、「トゥッ」と破裂さ
   せます。
2. 人差し指を立て、ｒ《ゥル》。舌をどこにもつけずに、くちびるをとがらせ
   て、のどの奥から発音します。
3. 中指を立て、ee《イー》。唇を横に開いて伸ばします。

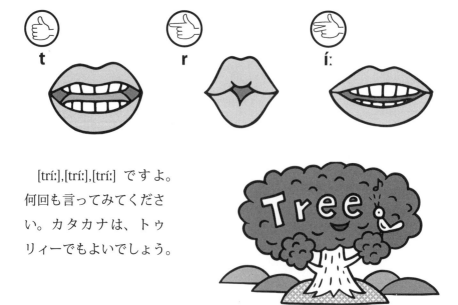

　[trí:],[trí:],[trí:] ですよ。
何回も言ってみてくださ
い。カタカナは、トゥ
リィーでもよいでしょう。

せっかくですから、ここでもう少し長い単語に挑戦してみましょう。

turtle　[tə́:rtl] トゥァーゥトゥル（亀）

　turtle は 2 つの音節から成り立っている単語です。tur と tle の 2 つに分けて発音します。はじめの tur《トゥァーゥル》は軽く、tle《トゥル》にアクセントを置きます。

　tle は、舌を前歯の後ろにつけて「トゥッ」と軽く破裂させ、そのすぐあとの l は、舌を前歯の後ろに持っていき「ル」。ここで強調するのは「ル」です。続けて「トゥッル」。全体で、「トゥァーゥル / トゥル 」という感じです。

　イギリスでは、t をきちんと発音しますが、アメリカ英語では、t は軽く、l をバッチリ発音します。tur/tle は tur をなまけ気味に、次の tle を強く発音します。アメリカの英語の先生たちも、turtle の発音は難しいと言っています。

本書は、アメリカ英語に基づいています。基本的にアメリカ英語では、初めの音節にアクセントを置いて強く発音し、２番目の音節は弱くなります。ですので turtle は例外ということです。

　次の文をゆっくり一語ずつ読んでみてください。うまく発音できたら、次は少し早く、その次はもっと早く読みましょう。そう、その調子です。

Tom's turtle likes a tent.
トムの亀は、テントが好き

フォーチュン・クッキー　fortune cookie

If a turtle doesn't have a shell, is it naked or homeless?
もし亀に甲羅がなかったら、それは裸の亀？　それともホームレス？

　フォーチュン・クッキーを食べたら、中からこんなユーモラスな言葉が書かれたおみくじが出てきました。

　アメリカの中華レストランで食事をすると、たいてい最後に伝票と一緒にフォーチュン・クッキー（おみくじクッキー）が出てきます。ギョウザのような形をしたクッキーの中に運勢や東洋的なことわざが書かれた紙が入っていて、わが夫もそれを読むのを楽しみにしています。私が働いていた小学校では、生徒たちに、将来何になりたいかなどを小さな紙に書いてもらい、ギョウザの皮に包んで揚げギョウザを作ったりしました。フォーチュン・クッキーならぬフォーチュン・揚げギョウザですね。

　でも、実はこれ、中国から伝わった習慣ではなく、日本の北陸地方で神社が配っていたお菓子が起源らしいのです。アメリカへ渡った日系移民が始めた中華レストランでお客さんへのサービスで提供していたものが、いつのまにかアメリカの中華レストランの定番になったそうです。日本では「恋するフォーチュン・クッキー」なんていう歌もヒットしたようですね。

ＡＢＣＤＥＦＧＨＩＪＫＬＭＮＯＰＱＲＳＴＵＶＷＸＹＺ

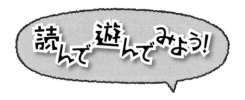

　子どもたちに人気のあるアメリカのわらべ歌「Teddy Bear, Teddy Bear」
をご紹介します。とてもシンプルな歌詞ですから、ぜひ一緒に歌ってみてく
ださい。下線を引いてあるのはライミング（韻を踏んでいる）の箇所です。
綴りは異なっていても、同じ音を繰り返す面白さを感じてみましょう。

♪ **Teddy Bear, Teddy Bear**　　**クマさん、クマさん（テディ・ベア）**

Teddy bear, teddy bear, turn <u>around.</u>

Teddy bear, teddy bear, touch the <u>ground.</u>

Teddy bear, teddy bear, go <u>upstairs.</u>

Teddy bear, teddy bear, say your <u>prayers.</u>

Teddy bear, teddy bear, turn out the <u>light.</u>

Teddy bear, teddy bear, say <u>goodnight.</u>

クマさん、クマさん、ひと回り　（歌いながら、くるりと回ります）

クマさん、クマさん、地面を触って　（地面を触ります）

クマさん、クマさん、２階へ行って　（階段を上る動作）

クマさん、クマさん、お祈りをして　（お祈りをする動作）

クマさん、クマさん、明かりを消して　（電気を消す動作）

クマさん、クマさん、おやすみなさい　（グ〜グ〜寝る動作）

見ながら一緒に歌おう　♪ Teddy Bear, Teddy Bear
https://www.youtube.com/watch?v=UFdAWMUT6wY

D, d

単語に含まれたときの音はドゥッ・ドゥッ・ドゥッ [d]

Dog   **Dig**   **Desk**

力いっぱい
破裂させて

◇アルファベットの D, d の名前は、「ディー」[díː]

　だけど、単語の中に入ると「ドゥッ」という有声破裂音です。

◇「ドゥッ」の音の出し方、口の開け方を練習しましょう。

　舌を前歯の後ろにつけ、息を止めてから「ドゥッ」と破裂するように発音します。t は無声音、d は有声音で、親戚のような関係です。

◇「ドゥッ」の発音ができたら、単語の中でどのようにブレンドされているか見ていきましょう。

Dog　[dɔ́ːg]　ドゥッォーグッ（犬）

1. 親指を立て、d《ドゥッ》。舌を前歯の後ろにつけ、強く息を吐き出します。

2. 人差し指を立て、口を大きく、そしてのどを開ける感じで o《オー》。発音記号に [ː] とありますから伸ばしします。[ɔ] という発音記号は、口を大きく縦に開け、のども開ける「オー」です。

3. 中指を立て、g《グッ》。のどの奥を開け、「グッ」と破裂させます。

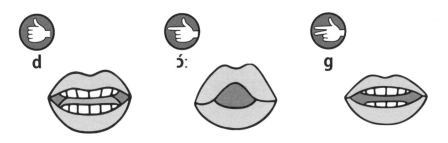

d　　　　　ɔ́ː　　　　　g

　Dog はブレンドすると、o は伸ばす母音なので「ドゥッォーグッ」です。最後の有声破裂音 g も破裂させてください。

Dig　[díg]　ドゥッィグッ（掘る）

1. 親指を立て、d《ドゥッ》。舌を前歯の後ろにつけ、強く息を吐き出します。
2. 人差し指を立て、i《イ》。にっこりスマイル調に口を横に開け、のどの奥から軽く弱く「ィ」。
3. 中指を立て、g《グッ》。のどの奥から、「グッ」と破裂させます。

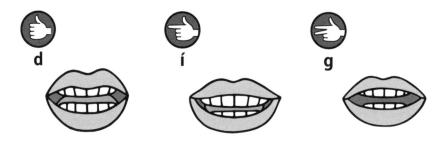

　di（子音＋短母音）は、ブレンドすると子音のdが強く、母音のiは弱めにのどの奥から軽く「ィ」。全体で「ディッグッ」という感じになります。

Desk [désk] ドゥエスクッ (机)

1. 親指を立て、d《ドゥッ》。舌を前歯の後ろにつけ、強く息を吐き出します。
2. 人差し指を立て、e《ェ》。ほとんど日本語の「エ」と同じですが、口を少し横に開いて、軽く「ェ」です。
3. 中指を立て、s《ス》。舌先を前歯の後ろに近づけて（つけないで近づけるだけ）、息を吐き出します。
4. 薬指も使っちゃいましょう。k《クッ》は、のどから強めに「クッ」と出す無声破裂音です。

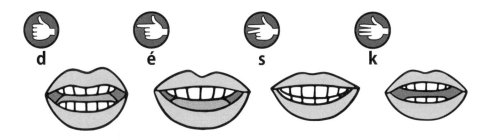

d　　　é　　　s　　　k

　ブレンドすると「デェスク」に近くなります。子音のdを強く、母音のeを弱めに発音します。

A B C D E F G H I J K L M N O P Q R S T U V W X Y

読んで遊んでみよう！

　単調なリズムをつけて単語を読むことをチャンツ（chants）と言います。大声で歌うように、毎日チャンツしていると、英語の音に慣れていきます。「Five Little Monkeys（5匹の子ざる）」を読みながら、今までに出てきたbやdを見つけて丸で囲み、大声でチャンツしてみましょう。

Five little monkeys　　5匹の子ざる

Five little monkeys jumping on the **b**e**d**

One fell off and **b**umped his hea**d**

Mama called the **d**octor

An**d** the **d**octor sai**d**

"No more monkeys jumping on the **b**e**d** !"

Four little monkeys jumping on the **b**e**d**

One fell off and **b**umped his hea**d**

Mama calle**d** the **d**octor

An**d** the **d**octor sai**d**

"No more monkeys jumping on the **b**e**d** !"

5匹の子ざるがベッドの上でジャンプしているよ
1匹が落ちて頭ごっちん
ママがお医者さんを呼んだら
お医者さんは言いました
「おさるはもうベッドでジャンプしてはいけません！」

A B C D E F G H I J K L M N O P Q R S T U V W X Y Z

このあと、4匹、3匹、2匹……と子ざるの数が減って、続いていきます。

見ながら一緒に　　♪ Five little monkeys jumping on the bed
https://www.youtube.com/watch?v=h6yD_VdEZTA

『FIVE Little MONKEYS jumping on the bed』
（Eileen Christelow 作）

『FIVE Little MONKEYS jumping on the bed』は絵本にもなっています
（Eileen Christelow 作）。同じ言い回しが何度も出てきて、繰り返し読む
うちに覚えられる楽しい絵本です。調子がよいので、日本の小学校や英
語塾の先生方にも、とても人気があるようです。子どもたちには、繰り
返しが大切です。繰り返すことで、暗記してしまうチャンツです。

Jump は、ベッドの上で飛び跳ねることです。私の息子も、チャンツ
しながらベッドの上で高く飛び跳ねていました。「Stop! ベッドのスプリ
ングが傷むじゃないの！」と、よく叱りつけたものです。

Bump は、ちょっとなじみがない単語
かもしれませんが、ゴツンとぶつけるこ
とです。ベッドから落ちて、頭をゴツン、
です。気をつけてくださいね。

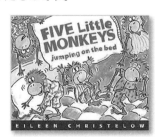

グループ3 | J 口をとがらせる

J, j

- -

単語に含まれるときの音は ジュッ・ジュッ・ジュッ [dʒ]

Jet　　　　　**Jar**　　　　　**Jam**

口は
とんがって
いるかな？

◇アルファベットの J, j の名前は、「ジェイ」[dʒéi]

　だけど、単語の中に入ると「ジュッ」に近い音になります。

　カタカナに直すのが難しい音です。

◇「ジュッ」の音の出し方、口の開け方を練習しましょう。

　肉がフライパンの中で「ジュッ」と焼けるような、ちょっと口をとがらせて破裂させる有声音です。肉や野菜がこんがり /j/ /j/ /j/。日本人は曖昧に発音しがちな音なので、意識してください。

◇「ジュッ」の発音ができたら、単語の中でどのようにブレンドされているか見てみましょう。

Jet ［dʒét］ ジュッェトゥッ（噴射する）

1. 親指を立て、j《ジュッ》。口をとがらせて。
2. 人差し指を立て、e《ェ》。ほとんど日本語の「エ」と同じです。口を少し横に開いて軽く「ェ」です。
3. 中指を立て、t《トゥッ》。舌を前歯の後ろにつけて破裂音。

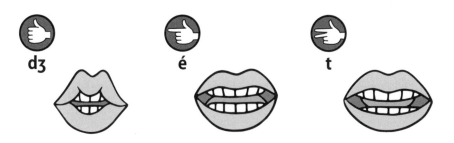

dʒ　　　　　é　　　　　t

　je（子音＋短母音）はブレンドすると、「ジュェッ」と子音の音が強くなります。さらに t を加えて「ジュェットゥッ」。

Jar　[dʒɑ́ːr]　ジュァーゥル　（瓶）

1. 親指を立て、j《ジュ》。口をとがらせて。
2. 人差し指を立て、a《アー》。口を大きく開けて、のどの奥から「アー」
   と長めに。
3. 中指を立て、r《ゥル》、舌はどこにもつけずに「ゥル」ですよ。

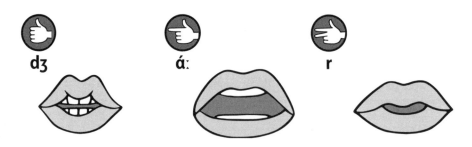

　ja（子音＋短母音）をブレンドして「ジュァー」と伸ばしましょう。全部
合わせると「ジュァーゥル」です。

Jam　[dʒǽm]　ジュァム（ジャム）

1. 親指を立て、j《ジュ》。口をとがらせて。

2. 人差し指を立て、a《ア》。つぶれたような [æ] の音は、口を横に開いて「ア」。

3. 中指を立て、m《ム》。口をぎゅっと結んで、m「ム」。

全部をブレンドして「ジュァム」を短く言ってみましょう。

ちょっとした **英文練習**

I love having jam on my toast.
朝食のトーストにはジャムがいいわ。

My husband owns a junky jet.
私の夫はオンボロのジェット機を持っています。

見ながら一緒に発音しよう　Sumiko Leeper Letter J
https://www.youtube.com/watch?v=h6yD_VdEZTA

読んで 遊んで みよう!

マザーグースの「Jack and Jill（ジャックとジル）」を、j で始まる単語を
ふんだんに使ってユーモラスに書き換えてみました。声に出して読んでみま
しょう。

Jack and Jill went to the jungle by the junky jet.
Jack and Jill drove the junky jeep.
Jack and Jill jumped high and jumped low.
Jack and Jill ate jam in the jar in the jungle.

ジャックとジルが、オンボロのジェット機でジャングルに行った
ジャックとジルは、オンボロのジープを運転した
ジャックとジルが、高く飛んで、低く飛んだ
ジャックとジルは、ジャングルで瓶に入ったジャムを食べた

ABCDEFGHIJKLMNOPQRSTUVWXYZ

マザーグースの原文は以下のとおり。こちらも楽しいですよ。

Jack and Jill went up the hill
To fetch a pail of water
Jack fell down and broke his crown,
And Jill came tumbling after.

Up Jack got and home did trot,
As fast as he could caper;
And went to bed and bound his head
With vinegar and brown paper.

ジャックとジルが丘に登って
バケツに一杯、水を汲みに行った
ジャックが転んで王冠が壊れた
そのあとジルも転げ落ちた

ジャックは起き上がって家に帰った
飛び跳ねながら一目散に
ベッドに入って頭に巻いた
酢を染み込ませた茶色い紙を

C, c

単語に含まれるときの音はクッ・クッ・クッ [k]

Cat	Cup	Cut

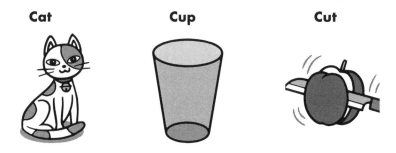

◇アルファベットの C, c の名前は、「シー」[síː]。

だけど、単語の中に入ると「クッ」[k] という音になります。

◇「クッ」の音の出し方、口の開け方を練習しましょう。

のどの奥から「クッ」と破裂させます。

のどの奥から
息を吐き出して

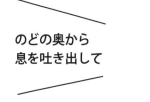

◇「クッ」の発音ができたら、どのようにブレンドされているか見てみましょう。

Cat [kǽt] クィアットゥッ（猫）

1. 親指を立て、c《クッ》と、のどの奥から破裂させます。
2. 人差し指を立て、a《ア》。つぶれたような [æ] の音は、口を横に開いて「ア」。
3. 中指を立て、t《トゥッ》。舌を前歯の後ろにつけて、破裂させます。

k　　　　　　　æ　　　　　　　t

ca（子音＋短母音）はブレンドすると、子音の c に比重がかかって「キャッ」となります。大きく口を横に開けて、「キャッ」です。t を加え「キャットゥッ」という感じです。

ちょっとした **英文 練習**

Most Japanese people prefer cats to dogs.
日本人は犬より猫のほうが好き。

Cup　[kʌ́p]　クッァプッ（コップ）

1. 親指を立て、c《クッ》と、のどの奥から破裂させます。

2. 人差し指を立て、短く、そして軽く u《ア》。力を入れず何気なく「ア」
   と言う、日本語に近い音です。口を縦に開けて、のどの奥から軽く「ア」
   と発音してください。

3. 中指を立て、p《プッ》と、すいかの種を吐き出すように破裂させましょう。

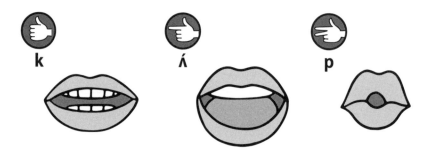

　　3文字をブレンドしてカタカナにすると「カッブッ」に近くなります。発
音としては、やさしいほうですね。

Cut [kʌt] クァットゥッ（切る）

1. 親指を立て、c《クッ》と、のどの奥から破裂させます。
2. 人差し指を立て、短く軽くのどの奥から u《ア》。
3. 中指を立て、t《トゥッ》。舌を前歯の後ろにつけて、破裂させます。

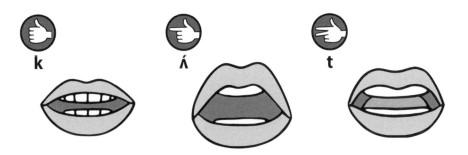

k **ʌ** **t**

　3文字をブレンドすると「カットゥッ」です。

　cat の a はつぶれたような [æ] なので c と続けると「キャッ」という音に近くなりますが、cut の u はのどの奥からの「ア」なので c と続けると「カッ」に近くなります。

読んで遊んでみよう!

声に出して読んでみましょう。c で始まる単語をたくさん使っています。

My **c**at **c**an **c**ome on the **c**ab,*	私の猫がタクシーに乗ったよ
/k/ /k/ /k/ **c**ab.	クッ、クッ、クッ、キャブ
My **c**at is **c**old in the **c**age,*	私の猫がオリの中でこごえているよ
/k/ /k/ /k/ **c**age.	クッ、クッ、クッ、ケイジ
Cat **c**an **c**ome on the **c**ab.	猫がタクシーに乗ったのさ
/k/ /k/ /k/ **c**ab.	クッ、クッ、クッ、キャブ
It was like in a **c**old **c**age.	寒いオリの中にいるようだったよ
/k/ /k/ /k/ **c**age.	クッ、クッ、クッ、ケイジ

＊ cab（キャブ）＝アメリカではタクシーをこう呼びます。もともとはフラ
　 ンス語の幌付き馬車（cabriolet）からきているそうです。
＊ cage（ケイジ）＝檻のことです。

K, k

単語に含まれるときの音はクッ・クッ・クッ [k]

Kid　　　　**Kiss**　　　　**Keep**

◇アルファベットの K, k の名前は、「ケイ」[kéi]。

　だけど、単語の中に入ると「クッ」[k] という音になります。

◇「クッ」の音の出し方、口の開け方を練習しましょう。

　k は、前に出てきた c と同じ発音です！　舌の後ろを上げるような感じで、のどの奥で破裂させます。のどに手を触れてみましょう。動いていますね。「クッ」[k] の音で始まる単語には、c を使うものと k を使うものがあるのです。

のどの動きを
感じながら

◇「クッ」の発音ができたら、どのようにブレンドされているか見てみましょう。

Kid [kíd] クッィドゥッ（子ども）

1. 親指を立て、k《クッ》と、のどの奥で破裂させます。
2. 人差し指を立て、i《イ》。口を横に開いて、のどの奥から出す軽い「イ」。
3. 中指を立て、d《ドゥッ》。舌を前歯の後ろにつけて破裂させます。

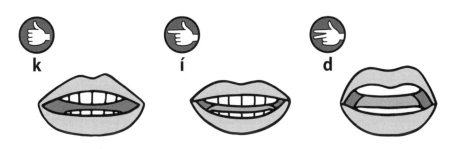

ki（子音＋短母音）はブレンドすると、子音に比重がかかった「クッィ」。それにdを加えて「クッィドゥッ」となります。「クッ〜〜〜、イ〜〜〜、ドゥッ〜〜」と離して、発音させる教え方もあります。kとdが破裂音です。ぜんぶ一緒にして発音すると、「キィッドゥッ」という感じになります。うまく破裂させられたかな？

Kiss [kís] クッィス（キス、接吻）

1. 親指を立て、k《クッ》と、のどの奥で破裂させます。
2. 人差し指を立て、i《イ》。口を軽く横に開いて、のどから軽く出す「イ」
   です。
3. 中指を立て、s《ス》。舌を前歯の後ろに近づけて息を吐き出します。

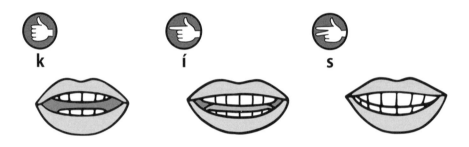

　sが2つ続きますが、発音は1つのときと同じ「ス」。3文字をブレンド
すると「キィス」という感じになります。

Keep　[kíːp]　クッィープッ（保つ）

1. 親指を立て、k《クッ》と、のどの奥で破裂させます。
2. 人差し指を立て、ee の発音記号は、[ː] なので、口を少し横に開けながら、《イー》と伸ばしましょう。
3. 中指を立て、p《プッ》と息を破裂させます。

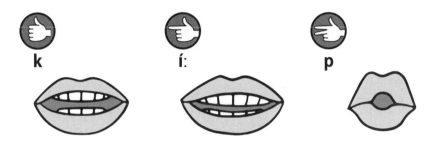

k　　　　　　　　í:　　　　　　　　p

　全体をブレンドすると「キィープ」あるいは「キィープッ」という感じになります。イラストのように「keep」を強く主張する場合には「プッ」をさらに強調して破裂させ、思いを表現します。

ちょっぴり長い単語に挑戦してみよう！

Kangaroo [kæ̀ŋgərúː] クィアン(ヌ) ガァゥルー（カンガルー）

アメリカの幼稚園では、ときどき、イラストを見ながら長い単語を読む練習をします。そんなとき、どこで区切って読むかを知っておくと便利です。

Kangaroo は、Kan/ga/roo と３つのシラブル（音節）に分けられます。それぞれのグループに母音が入っていることに気づきましたか。シラブルは母音の入ったグループで分けると覚えておきましょう。

Kangaroo のシラブルは３つ。３つのグループに分けて練習しましょう。

1. 親指を立て、kan 《クィアン（ヌ）》。のどの奥から破裂させる k は破裂音「クッ」。a は口を横に開いてつぶれたような音を出す [æ]「ア」。鼻から音を出す [ŋ]「ヌ」。続けると「カァン（ヌ）」という感じになります。
2. 人差し指を立て、ga 《ガァ》。のどの奥から「グッ」と破裂させる g。次の [ə] は口を横に開いて曖昧母音の「ア」。ブレンドすると「ガァ」という子音が強い感じになります（曖昧母音については 166 ページをご参照ください）。
3. 中指を立て、roo 《ゥルー》。くちびるを少しとがらせ、舌はどこにもつけずに「ゥルー」と伸ばします。

kæ̀ŋ	gə	rúː

Kangaroo のアクセントは、**roo** にあります！

さあ、「カァン（ヌ）・ガァ・ゥルー」と続けて言ってみましょう。

読んで 遊んで みよう！

リズムにのって遊べる、ナンセンスなチャンツを作ってみました。
のどの動きを確かめながら、声に出して読んでください。

　kale（ケール）とは、青汁の材料として知られるキャベツに似た野菜のことです。

Kid **k**issed **k**ale,	子どもがケールにキスをした
/k /k /k/	クッ、クッ、クッ
/k /k /k/	クッ、クッ、クッ
In the **k**it.	道具箱の中でさ

The **k**ing is **k**ind,	王様は親切
/k/ /k/ /k/	クッ、クッ、クッ
Kind **K**ing.	親切な王様

I li**k**e **k**elp.	私は昆布が好き
/k/ /k/ /k/	クッ、クッ、クッ
I li**k**e **k**ing's **k**elp.	王様の昆布が好き
/k/ /k/ /k/	クッ、クッ、クッ
A **k**ind **k**ing's **k**elp.	親切な王様の昆布

ＡＢＣＤＥＦＧＨＩＪＫＬＭＮＯＰＱＲＳＴＵＶＷＸＹＺ

次は、ｃとｋは仲良しという歌です。「ロンドン橋落ちた」のメロディー
で歌ってみてください。

C and **K** are together, together, together. 　ＣとＫはいつも一緒、一緒

C and **K** are same sound, they are alike. 　ＣとＫは同じ音、似た者同士

C sounds /k/ /k/ /k/, 　　　　　Ｃの音は　クッ、クッ、クッ
/k/ /k/ /k/, /k/ /k/ /k/ 　　　　クッ、クッ、クッ　クッ、クッ、クッ
K sounds /k/ /k/ /k/, 　　　　　Ｋの音は　クッ、クッ、クッ
/k/ /k/ /k/, /k/ /k/ /k/ 　　　　クッ、クッ、クッ　クッ、クッ、クッ

Cat sounds /k/ /k/ /k/ **c**at. 　猫の発音は　クッ、クッ、クッ　クッァットゥッ
Cat sounds /k/ /k/ /k/ **c**at. 　猫の発音は　クッ、クッ、クッ　クッァットゥッ

King sounds /k/ /k/ /k/ **k**ing. 　王様の発音は　クッ、クッ、クッ　クィング
King sounds /k/ /k/ /k/ **k**ing. 　王様の発音は　クッ、クッ、クッ　クィング

C and **K** are good friends！ 　ＣとＫは仲良し　お友だち

以下は、調子をつけて、読んでください。
ＣとＫはいつも一緒、一緒
ＣとＫは同じ音、似た者同士
Ｃの音はクッ、クッ、クッ
Ｋの音はクッ、クッ、クッ

グループ5 | Q, G のどの奥深いところから出す音

Q, q

単語に含まれるときの音はクゥ・クゥ・クゥ [kw]

Queen

Quilt

2つの音が
合わさった
変わり種

クゥ

◇**アルファベットのQ, qの名前は、「キュー」[kjúː]。**

　だけど、単語の中に入ると「クゥ」[kw] という音になります。

　地名などの例外を除いて、q ではじまる単語はほとんどの場合、q のあと
に u がきます。たとえば queen, quilt, question などです。q のあとには u
がくると覚えておいてください。

◇「クゥ」の音の出し方、口の開け方を練習しましょう。

　qは、cやkの音のように破裂音です。ただし [k] に [w] の音が加わり「クゥ」と、1文字で2つの音を出すという、変わったアルファベットです。

　のどの奥で破裂させる「クッ」[k] に、口をとがらせた「ウ」[w] の音を加えます。舌の後ろ部分を上げて、息を止めてから「クゥ」です。

◇「クゥ」の発音ができたら、どのようにブレンドされているか見ていきましょう。

Queen　[kwíːn]　クゥイーンヌ（女王）

　　ここでは　quee をひとつのグループとして扱います。

1. 親指を立て、《ク》と、のどの奥から破裂音を出します。そのあとすぐ、くちびるを丸くして突き出し w《ウ》。「クゥ」になります。続く ee は [íː] なので、口を横に開いて「イー」と伸ばします。「クゥ」と「イー」の2つの音を区切らずにまとめて「クゥイー」と発音してください。

2. 人差し指を立て、n《ンヌ》。単語の最後にくる n は、舌の先を前歯のすぐ裏の歯茎につけ、「ン」と鼻に抜けるように発音してから「ヌ」と軽く言ってください。

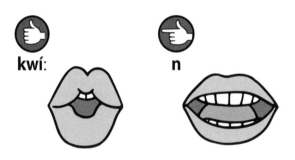

　　全部ブレンドすると、「クゥイーンヌ」となります。音節はひとつです。

Quilt [kwílt] クゥィルトゥッ（キルト）

1. 親指を立て、qui《クゥイ》。これも qui をひとつのグループとして考えて
   ください。くちびるを丸くして前に突き出し、のどの奥から「クゥ」と
   破裂させ、すぐそのあと、口を横に広げ、スマイル調にして、のどの奥
   から軽く母音の「ィ」。すると日本語の「エ」と「イ」の中間のような音
   が出ます。続けて「クゥィ」となります。
2. 人差し指を立て、l《ル》。舌の先を、前歯の裏につけて「ル」。
3. 中指を立てて、t《トゥッ》。舌を前歯の後ろにつけて破裂させます。

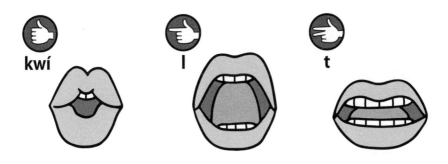

kwí　　　**l**　　　**t**

　　qui をブレンドさせると「クゥィ」。「クゥィ」と「ル」と「トゥッ」を全
部続けて「クゥィルトゥッ」です。

ほかにも、q で始まる単語を見てみましょう。

Quarter　[kwɔ́:rtər]　　クゥオー（ゥル）ター（ゥル）
　　　　　　　　　　　　アメリカ、カナダの 25 セント

Quack　[kwǽk]　　　クゥアクッ　　アヒルの鳴き声

Squid　[skwíd]　　　スクゥイドゥッ　　いか

Square　[skwɛ́ər]　　スクゥェア（ゥル）　　四角
Quail　[kwéil]　　　クゥェイル　　　　　うずら
Question　[kwéstʃən]　クゥェスチョン（ヌ）　問題、質問

ＡＢＣＤＥＦＧＨＩＪＫＬＭＮＯＰＱＲＳＴＵＶＷＸＹＺ

読んで 遊んで みよう！

「Five Little Ducks（5 匹のアヒルの子）」を歌ってみましょう。アヒルの子
の数が 5、4、3、2、1 と減っていきます。数字を覚える練習にもなりますね。

♪♪ **Five Little Ducks　　5 匹のアヒルの子**

Five little ducks went out one day.

Over the hill and far away.

Mother duck said

"Quack, quack, quack, quack."

But only four little ducks came back.

ある日、5 匹のアヒルの子がおでかけしたよ

丘を越えてどこまでも

母さんアヒルが

「クゥアクッ、クゥアクッ、クゥアクッ、クゥアクッ」

だけど戻ってきたのは 4 匹だけ

Four little ducks went out one day.

Over the hill and far away.

Mother duck said

"Quack, quack, quack, quack."

But only three little ducks came back.

ある日、4 匹のアヒルの子がおでかけしたよ

丘を越えてどこまでも
母さんアヒルが
「クゥアクッ、クゥアクッ、クゥアクッ、クゥアクッ」
だけど戻ってきたのは3匹だけ

Three little ducks went out one day.

Over the hill and far away.

Mother duck said

"Quack, quack, quack, quack."

But only two little ducks came back.

ある日、3匹のアヒルの子がおでかけしたよ
丘を越えてどこまでも
母さんアヒルが
「クゥアクッ、クゥアクッ、クゥアクッ、クゥアクッ」
だけど戻ってきたのは2匹だけ

Two little ducks went out one day.

Over the hill and far away.

Mother duck said

"Quack, quack, quack, quack."

But only one little duck came back.

ある日、2匹のアヒルの子がおでかけしたよ
丘を越えてどこまでも
母さんアヒルが

「クゥアクッ、クゥアクッ、クゥアクッ、クゥアクッ」
だけど戻ってきたのは 1 匹だけ

One little duck went out one day.
Over the hill and far away.
Mother duck said
"Quack, quack, quack, quack."
But none of the five little ducks came back.

ある日、1 匹のアヒルの子がおでかけしたよ
丘を越えてどこまでも
母さんアヒルが
「クゥアクッ、クゥアクッ、クゥアクッ、クゥアクッ」
だけどアヒルの子、5 匹とも戻ってこない

Sad mother duck went out one day.
Over the hill and far away.
Mother duck said
"Quack, quack, quack, quack."
And all of five little ducks came back.

ある日、悲しい母さんアヒルがおでかけしたよ
丘を越えてどこまでも
母さんアヒルが
「クゥアクッ、クゥアクッ、クゥアクッ、クゥアクッ」
そしたら 5 匹のアヒルの子が戻ってきたよ

G, g

単語に含まれるときの音はグッ・グッ・グッ [g]

Gas　**Get**　**Good**

のどの奥から
思いきりよく

◇アルファベットの **G, g** の名前は、「ジィー」[dʒíː]
　だけど、単語の中に入ると「グッ」[g] という音になります。

◇「グッ」の音の出し方、口の開け方を練習しましょう。
　のどを開け、口をつぼめて「グッ」。のどの奥から思いきり出す有声破裂
音です。のどに手を触れてみましょう。動いているのを感じますか？
　ほかに「ジッ」[dʒ] と発音することもありますが、ここで覚えるのは「グッ」
に留めておきます。

◇「グッ」の発音ができたら、どのようにブレンドされているか見てみましょう。

Gas　[gǽs]　グッァス（ガス）

1. 親指を立て、g《グッ》と、のどの奥で破裂させます。
2. 人差し指を立て、a《ア》。つぶれたような [æ] の音は、口を横に開いて 「ア」。
3. 中指を立て、s《ス》。舌先を前歯の後ろに近づけて息を吐き出します。

g　　　　　　　　æ　　　　　　　　s

　ga（子音＋短母音）はブレンドすると、子音が強調され、かつ横に口を 開けるので「ギァ」に近い音になります。全体では「ギァス」です。

ちょっとした
英文
練習

When you are cooking at home, is your stove gas or electric?
家で料理をするとき、ガスコンロかクッキングヒーター、 どちらを使いますか？

＊アメリカでは料理用コンロのことを stove ストーブと言います。

Get [gét] グッェトゥッ（手に入れる）

1. 親指を立て、g《グッ》と、のどの奥で破裂させます。
2. 人差し指を立て、e《エ》。日本語の「エ」とほとんど同じです。母音ですから、口を左右に開けて軽くにっこり「エ」。
3. 中指を立て、t《トゥッ》。舌を上の歯茎の後ろにつけて破裂させます。

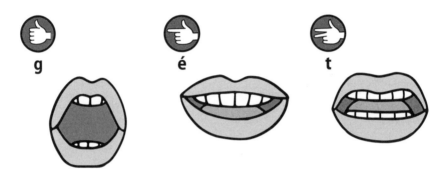

　破裂させる g と口を横に広げる e は、ブレンドされると ge「ゲェ」。そのあと「トゥッ」続けると「ゲトゥッ」です。g を強く、母音の e を弱めに「ゲトゥッ」です。

ちょっとした
英文
練習

I need to get vegetables and meat at the store today.
今日は、野菜と肉を買いに行かなくてはならないわ

Good ［gúd］　グッゥドゥ（よい）

1. 親指を立て、g《グッ》。口をちょっとだけ開けて、のどの奥から「グ」を破裂させます。
2. 人差し指を立て、《ウ》と口を突き出します。g と oo は即ブレンドして「グゥ」になります。
3. 中指を立て、d《ドゥ》。舌を前歯の後ろにつけ、強く破裂させます。

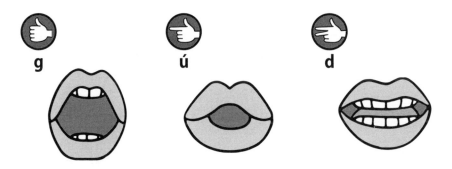

　全体をブレンドすると「グゥドゥ」という感じ。「楽しかった」「おいしかった」「よい点が取れた」など、いろんなシチュエーションで、ほめてあげるときの言葉です。

ちょっとした
**英文
練習**

I was good at math in elementary school.
小学校では算数が得意だったわ

ＡＢＣＤＥＦＧＨＩＪＫＬＭＮＯＰＱＲＳＴＵＶＷＸＹ

読んで遊んでみよう！

アメリカのわらべ唄「おばあちゃんのメガネ」です。「Ｇ」の音を強調しながら、身ぶり、手ぶりをつけて、チャンツしてみてください。

♪ **Grandma's glasses**　　**おばあちゃんのメガネ**

These are **G**randma's **g**lasses.
これは、おばあちゃんのメガネ
（指でメガネの形を作って目に当てます）

This is **G**randma's hat.
これは、おばあちゃんの帽子
（両手を頭にのせ、帽子をかぶっている真似）

And this is the way she folds her hands
そしてこれは、おばあちゃんの手の組み方
（両指を組み合わせます）

And lays them in her lap.
おばあちゃんは、その手をお膝にのせます
（組み合わせた両手を膝の上にのせます）

　gの音がたくさん入った文章を声に出して読んで、ばっちり練習しましょうね。

Green **g**rass is **g**reat.

Green **g**rass makes a **g**reat **g**arden.

The **g**irl is taking care of her **g**reat **g**reen **g**rass.

But **g**host opened the **g**ate and ate the **g**irl's **g**reen **g**rass.

Grass is **g**one !

"**G**o away, **g**host !" The **g**irl said.

This is a story of /g/ /g/ /g/.

みどりの芝生は素晴らしい

みどりの芝生で、庭は素晴らしくなります

素晴らしいみどりの芝生の世話をするのは、女の子

でも、門を開けて入ってきた幽霊が、グリーンの芝生を食べちゃった

芝生が全部なくなっちゃった

女の子は言いました「消えてなくなれ　幽霊め！」

これは /g/ /g/ /g/ のお話です

見ながら一緒に発音しよう　Sumiko Leeper Letter g
https://www.youtube.com/watch?v=FQlt8CUEIes

◉発音しないサイレント e

単語が母音＋子音＋ e で終わっている場合、最後の e は読みません。その代わり、前にある母音はアルファベットの名前読みになります。

たとえば、Gate なら、a は「エイ」で「グッェィトゥッ」。Kite なら、i は「アイ」で「カアイトゥッ」。そのほか、Name「ネェィム」、Tape「テェィプ」も同様です。いずれも最後の e は発音しないのがおわかりでしょう。

語尾にサイレント e があるかないかで、発音がどう変わるか、かんたんに比べてみましょう。

Gag [gǽg] （ギャグ、冗談）　　　Gage [géidʒ] （ゲージ、計器）
Gal [gǽl] （ギャル、女の子）　　　Gale [géil] （ゲール、大風、疾風）
Gap [gǽp] （ギャップ、隔たり）　　Gape [géip]
　　　　　　　　　　　　　　　　（ゲイプ、ぽかんと口を開ける）

グループ **6** │ R, L　日本人には難しい使い分け

R, r

- -

単語に含まれるときの音はゥル・ウル・ウル [r]

Red　　　　　　**Run**　　　　　　**Car**

のどの奥から、
犬がうなるように

◇アルファベットの R, r の名前は、「アール」[ɑ':r]。

　だけど、単語の中に入ると r は「ウル」という音になります。

◇口の開け方を練習しましょう。

　この音は、日本人にとって最も難しい音のひとつではないでしょうか。キ

スをするみたいにくちびるをとがらせ、犬がうなるように「ウー」と、のどの奥から発音します。room なら、口をとがらせて、「ゥルーム」という感じです。どうしてもできない場合は、口をとがらせて「ルーム」と言ってみてください。舌は、伸ばして、どこにもつけません。

◇口をとがらせながらの「ゥル」の発音ができたら、単語の中ではどのような音になるかを見ていきましょう。

Red　[réd]　ゥルェドゥッ（赤）

1. 親指を立て、r《ゥル》。口をとがらせ、犬がうなるように「ウー」と発音したら、そのあとすぐ「ル」。「ゥル」となります。
2. 人差し指を立て、e《エ》。口を横に開いて弱めに「エ」。
3. 中指を立て、d《ドゥッ》。舌を前歯の後ろにつけて、破裂させます。

r と e は、ブレンドすると「ゥレェ」に近くなります。r の発音の「ゥレ」に違和感があるなら、口を「ウー」という形にして、舌をどこにもつけずに、「ル」と発音してください。全体をブレンドさせると「ゥレェドゥッ」。最初に口をとがらせて「ゥ」を入れると英語らしい発音になります。

Run [rʌ́n]　ゥルァンヌ（走る）

1. 親指を立てて口をとがらせ、のどの奥から、r「ゥル」。できなかったら、口をとがらせ、舌はどこにもつけずに「ル」でいきましょう。

2. 人差し指を立て、短く u《ア》。口を縦に開けて、のどの奥から「アッ」と発音します。日本語で「アッ、そう」なんていうときの「アッ」です。

3. 中指を立て、n《ンヌ》。舌を前歯の後ろにつけて、鼻から音が抜ける感じに。

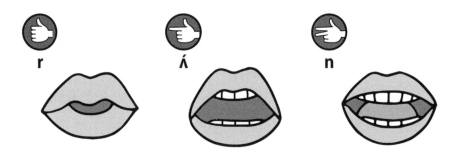

r　　　　　　　ʌ́　　　　　　　n

　　全体をブレンドすると「ゥラァンヌ」。

Car [ká:r] クッァーゥル（車）

1. 親指を立て、c《クッ》と、のどの奥から破裂させます。
2. 人差し指を立て、a《アー》。指 3 本が入るくらい口を縦にリラックスさせて開けます。日本人の口の開け方より、ずっと大きく開ける「ア」です。伸ばすサイン [:] がついていますから、「アー」と伸ばします。
3. 中指を立て、r《ゥル》。舌をどこにもつけずに、のどの奥から発音します。

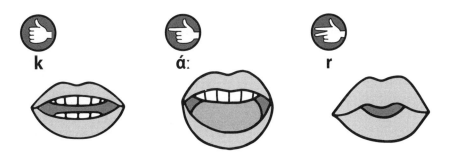

k **á:** **r**

　c＋a は、口を大きく開けて「クゥァー」。発音記号に [:] のサインがあるので「クゥァー」と伸ばします。私は「アー」で大きく口を開けるのを忘れがちで、反省しています。最後の r の発音もおろそかにしないように。よく出てくる単語です。

ABCDEFGHIJKLMNOPQRSTUVWXY

読んで 遊んで みよう！

19世紀初頭に作曲されたアメリカ民謡「Row, row, row your boat（漕げ、漕げ、ボートを）」をご存知ですか。子ども向けの歌ながら、けっこう人生に対する含蓄が込められた歌なんです。row という単語が続けて3回も出てきますよ。そのほか、r が真ん中にくる単語は stream、merrily が4回、そして dream です。l との発音の違いにも気をつけて。頑張って練習しましょう！

♪ Row, row, row your boat　　漕げ、漕げ、ボートを

Row, row, row your boat,　　　漕げ、漕げ、漕げ、ボート〜
Gently down the stream.　　　ゆっくりと〜
Merrily, merrily, merrily, merrily　楽しく、楽しく
Life is but a dream.　　　　　　夢のよう〜

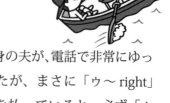

　ちなみに先日、アメリカ中西部のアイオワ州出身の夫が、電話で非常にゆっくりと考えながら「R〜ight」と言っていましたが、まさに「ゥ〜 right」という感じでした。それ以来、夫の発音に注意を払っていると、必ず「ゥ Rice」「ゥ Rose」と、r の前に「ゥ」が入って聞こえます。中西部の人たちの英語は、聞きやすいということで定評があります。

　また、r を使ったナンセンスな文章を作っても楽しいですよ。
たとえば、こんな会話文はいかが？

Roses are red,　　　　　　　バラの花は赤い
Yes, sir　　　　　　　　　　かしこまりました！

Robin Hood and His Me**rr**y Men	ロビン・フッドと家来たちは
Got to school at half past ten	10 時半に学校に行きます
Yes, si**r**	かしこまりました！
Ring a **r**ing o' **r**oses	バラの花だ、手をつなごうよ
Yes, si**r**	かしこまりました！
Rub-a dub-dub	ゴシゴシこすりますよ
Th**r**ee men in a tub	桶の中の 3 人の男たちを
Yes, si**r**	かしこまりました！

　rub は「こする」、dub は「ゴシゴシ」。組み合わせて、ゴシゴシこするという意味になります。アメリカの子どもたちは、ナンセンスな文章を作るのが好きです。日本語のダジャレにも通ずるライミング遊びは、「マザーグース」でおなじみですね。機会があったら、「マザーグース」を大いに役立てて、ライミングで遊んでみてください。

　バイデン大統領の就任式で自作の詩を朗読した詩人のアマンダ・ゴーマン（Amanda Gorman）は、子どもの頃 r の発音ができなかったそうです。でも、彼女はブロードウェイのミュージカル『ハミルトン』（＊）を見て「Yes, sir」の発音を何回も聞いて、r の発音ができるようになったと語っています。私も『ハミルトン』を観に行きます。「Yes, sir」に注意を払おう。

＊アメリカ合衆国初代大統領ジョージ・ワシントンの右腕で、アメリカ建国の父の一人でもあるアレクサンダー・ハミルトンの生涯をラップや R&B（リズム＆ブルース）にのせて描いたブロードウェイ・ミュージカル『ハミルトン』は Disney ＋の配信で鑑賞できます。

> **見ながら一緒に発音しよう　リーパーすみ子　r の音**
> https://www.youtube.com/watch?v=sFgS7MkHX5c
>

L, l

単語に含まれるときの音はル・ル・ル [l]

Lip　　　**Lock**　　　**Lion**

前歯の後ろに
舌をしっかり
つけて

◇アルファベットのL, l の名前は、「エル」[él]。

　だけど、単語の中に入ると「ル」[l] という音になります。

◇「ル」の音の出し方、口の開け方を練習しましょう。

　舌を前歯の後ろにしっかりとつけて「ル」。日本人は r と混同しがちですが、
発音は r よりずっと楽です。

◇「ル」の発音は、単語の中ではどのようにブレンドされているか見ていき
ましょう。

Lip [líp] ルィプッ（くちびる）

1. 親指を立て、l《ル》。舌を前歯の後ろにつけます。

2. 人差し指を立て、i《イ》。口をちょっと、横に開けて、のどの奥で「イ」
   と言ってください。 スマイル調の「イ」です。

3. 中指を立て、p《プッ》と息を破裂させます。

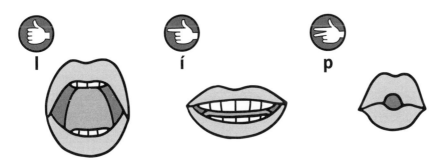

　ブレンドされて「li（子音＋短母音）」は 「ルィ」になります。 Lip の「i」
は母音ですから、短く。続く「p」は破裂音です。続けると「ルィプッ」に
近くなります。

Lock　[lák]　ルァクッ（錠）

1. 親指を立て、l《ル》。舌を前歯の後ろにつけます。

2. 人差し指を立て、o《ア》。3本指が入るくらい、縦に口を開けると、「オ」
   と「ア」の中間の音が出ます。お医者さんに行ったときに「口をあーん
   と開けて」と言われたときに出す「ア」です。

3. 中指を立て、k《クッ》と、のどの奥で破裂させます。

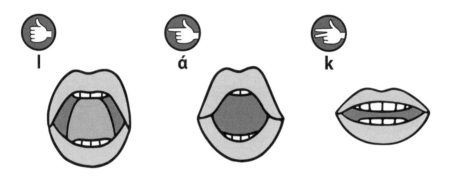

l　　　　　　　　á　　　　　　　　k

　lと、大きく口を開けるoをブレンドするlo（子音＋短母音）は、「ラァ」
に近い音になります。ckをつなげると「ラァクッ」。oは「オ」と「ア」の
中間の音、でも「ア」に近いかなあ。

　[á]の発音練習しましょう。Lockのloは、
まずlの発音のために舌を前歯の後ろにつ
け、口を大きく開け、「ア」に近い音を出
してみてください。口を大きく開けると「ラ
ァクッ」に近くなります。しかし、ネイ
ティブでも口の開け方、あるいは出身地に
よって、「ロック」的に発音する人もいます。
言葉って、難しいですね。

Lion　[láiən]　ルァィアンヌ（ライオン）

1. 親指を立て、l《ル》。前歯の後ろに舌をつけます。

2. 人差し指を立て、i《アィ》。アルファベット読みをする二重母音です。二重母音の場合、前の「ア」を強く「ィ」は弱く発音します。「アィ」。これで1組です。

3. 中指を立て、o《ア》。弱い曖昧母音の力を抜いた [ə]「ア」です。

4. 薬指を立て、n《ンヌ》。口を少し開け、舌先を歯茎の後ろに当てて、鼻から抜ける感じで。

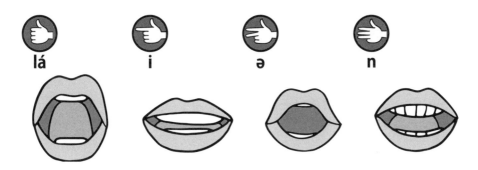

|lá|i|ə|n|

　短い単語ですが、音節は2つで Li/on です。li をブレンドすると、「ルァィ」。アクセントはこの「ルァィ」にかかるので、「ルァィアンヌ」。o の音は「オ」ではなく、弱い「ア」（曖昧母音）。ということで、初めの Li を強く on は弱くなって、「ラァィアンヌ」という感じの発音になります。

ABCDEFGHIJKLMNOPQRSTUVWXY

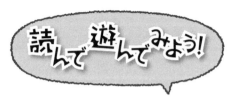

有名なマザーグース「Mary had a little lamb（メリーさんのひつじ）」です。子どもたちと一緒に、l の音に気をつけながら、読んで、歌って、楽しんでください。

♪ **Mary had a little lamb　メリーさんのひつじ**

Mary had a little lamb　　　メリーさんのひつじ

little lamb, little lamb,　　ひつじ　ひつじ

Mary had a little lamb　　　メリーさんのひつじ

Its fleece was white as snow.　毛は雪のように真っ白

　Lamb という単語の最後には b が入っていますが、この b は読まないことに注意してください。また、「メリーさんのひつじ」と歌い継がれてきたようですが、lamb は子ひつじのことです。覚えておいてくださいね。

B C D E F G H I J K L M N O P Q R S T U V W X Y Z

　ほかにも、lで始まる動物の単語を探してみました。音節の区切りで、ポンと手を打ってください。そうすると子どもたちは「ああ、ここで切れるのか」と理解するでしょう。

Leopard　Leop/ard　[lépərd]　（ヒョウ）

Lizard　Liz/ard　[lízərd]　（トカゲ）

Lobster　Lob/ster　[lάbstər]　（ロブスター）

見ながら一緒に発音しよう　リーパーすみ子　Lの音
https://www.youtube.com/watch?v=2FB8fh3-njw

　1のアリタレーション（単語が同じ音で始まっていること）で遊んでみましょう。大人が最初の1行を読み、次の1行を子どもがくり返すようにしてみてはいかがでしょうか。

Late Leo likes lakes.	遅刻のレオくんは、湖が好き
Late Leo likes lakes.	（くり返し）

Little lamb likes lemons.	小さな子ひつじは、レモンが好き
Little lamb likes lemons.	（くり返し）

Lion lives in the locomotive.	ライオンは機関車の中に住んでいるよ
Lion lives in the locomotive.	（くり返し）

Lazy leopard licks lollipops.	なまけ者のヒョウが棒つき飴をなめているよ
Lazy leopard licks lollipops.	（くり返し）

Lonely lobster loves lovely lilies.	孤独なロブスターは かわいらしいユリが大好き
Lonely lobster loves lovely lilies.	（くり返し）

　 l と r の発音を比べてみましょう。 l と r の発音を間違えると、ぜんぜん違う意味になってしまって会話が通じないこともあります。 l は舌を前歯の後ろにしっかりつけて「ル」。 r は舌をどこにもつけずに、のどの奥から「ゥル」ですよ。

　 たとえば下のような間違い。カタカナだと同じですが、英語の発音では明らかに違う発音です。

l と r の発音を間違えると大変

日本語（カタカナ）で書くと同じですが……

レイン：**lane** [lein]（小径<ruby>小径<rt>こみち</rt></ruby>）と、**rain** [rein]（雨）

ライト：**light** [lait]（光）と、**right** [ráit]（正しい）

ランプ：**lump** [lʌmp]（塊<ruby><rt>かたまり</rt></ruby>、コブ）と、**rump** [rʌmp]（お尻）

リード：**lead** [liːd]（導く）と、**read** [riːd]（読む）

ロック：**lock** [lɔk]（錠）と、**rock** [rɔk]（岩）

ラップ：**lap** [læp]（ひざ）と、**wrap** [ræp]（つつむ）

◉ノミを食べちゃダメ
rice（お米）と lice（蚤）は特に注意

　「お米が食べたい」と言ったつもりが、「ノミを食べたい」と聞こえてしまったら困りますよね。rice（お米）と lice（蚤）は言い間違えるとタイヘンなことになる単語です。注意して発音してくださいね。

　ただ、日本人にとって、難しいのは、r ではなく、むしろ舌を歯茎の後ろにつける l の発音でしょう。私も含めて、ほとんどの日本人は、l と r を一緒くたにして r に近い発音をしています。「お米」のときは、気にしすぎて r を l にしちゃわないよう気をつけてください。

lがいっぱい出てくる『Leo the Late Bloomer』という絵本があります。「お そざきのレオ」を育てる父母の忍耐とユーモアの物語で、作者はロバート・ クラウス。ホセ・アルエゴの個性的なイラストがとても面白いですよ。『お そざきのレオ』の題で日本語版も出版されています。私も、学校で司書をし ていた頃は、キンダー（幼稚園児たちのことです）がlを練習しているとき には、この本の読み聞かせをしていました。

Leo the Late Bloomer
by Robert Kraus / Jose Aruego
(HarperCollins, 1971)
日本語版『おそざきのレオ』（あすなろ書房刊）

F, f

単語に含まれるときの音はフッ・フッ・フッ [f]

Fan　　　**Fun**　　　**Fox**

勢いよく息を
吹き出して

◇アルファベットの F, f の名前は、「エフ」[éf]。

　だけど、単語の中に入ると「フッ」[f] という音になります。

◇「フッ」の音の出し方、口の開け方を練習しましょう。

　下くちびるの内側を前歯で，ごく軽く噛んで、「フッ」と息を出す無声破
裂音です。

◇「フッ」の発音ができたら、単語の中でどのようになるか見てみましょう。

Fan [fǽn] フッァンヌ（うちわ、扇風機）

1. 親指を立て、f《フッ》。下くちびるの内側を軽く噛みます。
2. 人差し指を立て、a《ア》。つぶれたような [æ] の音は、口を横に開いて、つぶれたような声で「ア」。できた？
3. 中指を立て、n《ンヌ》。口を少し開いて、舌を前歯の後ろにつけ、鼻から抜けるように発音します。

全体をブレンドすると「ファンヌ」。

● 英語の文章も作ってみよう

I use a fancy fan when it's hot in summer.
（暑い夏には、おしゃれな扇子を使います）

下くちびるを軽く噛む [f] の練習のために、f を使った文章をお子さんといろいろ作ってみてください。楽しいですよ。

Fun　[fʌ́n]　フッァンヌ（楽しみ）

1. 親指を立て、f《フッ》。下くちびるの内側を軽く噛んで。

2. 人差し指を立て、u《ア》。口は縦でもなく横でもなく、少しだけ開け、舌は下の歯の後ろにつけ、力を抜いて軽く「ア」。日本語の「ア」に似ている音です。

3. 中指を立て、n《ンヌ》。口を少し開いて、舌を前歯の後ろにつけ、鼻から抜けるように軽く発音します。

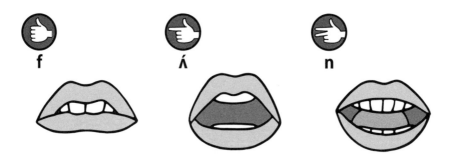

f　　　　　ʌ́　　　　　n

　　全体をブレンドすると「ファンヌ」。カタカナでは Fan と Fun は同じになってしまいますが、Fan の「ア」はつぶれたような [æ]、Fun の「ア」は日本語の「ア」に近い [ʌ]。発音の違いに注意して練習してみてください。

Fox　[fáks]　フッァクッス（きつね）

1. 親指を立て、f《フッ》。下くちびるの内側を軽く噛んで。
2. 人差し指を立て、o《ア》。指が 3 本入るくらい口を大きく縦に開けて「ア」と短く発音。
3. 中指を立て、x《クス》。「クッ」と息を破裂させ、舌先を前歯の後ろに近づけて「ス」と息を出します。

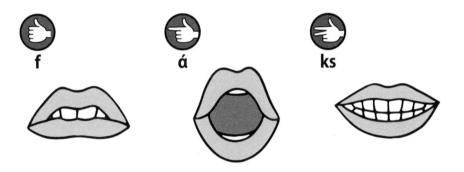

f　　　　　　　　á　　　　　　　　ks

　全体をブレンドすると「ファクス」に近くなります。Fox の o が「ア」に近くなります。本書の最後に短母音の説明を加えましたので、o の音については 164 ページを参照してください。

アメリカの子どもたちに人気の歌です。リズムにのせて、歌ってみてください。

🎵 **The Wheels On The Bus バスの歌**

The Wheels On The Bus go round and round,
round and round, round and round
The Wheels On The Bus go round and round,
all through the town.

バスの車輪が回るよ　グールグル、グールグル
回るよ回る　回るよ回る
バスの車輪は　グールグル
街じゅうを　グールグル

　こんなナンセンスな替え歌を作ってみました。

The wings of the Bus go flap, flap, flap,
Flap, flap, flap！　Flap, flap, flap！
The wings of the Bus go flap, flap, flap,
All around the town.

バスの翼がパタ、パタ、パタ

ABCDEFGHIJKLMNOPQRSTUVWXYZ

パタ、パタ、パタ！　パタ、パタ、パタ！
バスの翼が　パタ、パタ、パタ
街じゅうを　パタ、パタ

次は、わらべ歌の替え歌を作ってみました。
Fudge はやわらかいキャンディーのこと、judge は判事さんのことです。

Fudge, fudge tell the judge,
Funky monkey baby Frank,
Frank is a fat and funny baby.

ファッジ、ファッジ、判事に話して
ファンキーなおさるの赤ちゃんのフランク
フランクはおデブで面白い赤ちゃん

He is on the fence,
He is on his feet,
He has a fork singing a folk song.

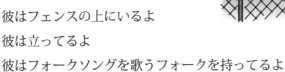

彼はフェンスの上にいるよ
彼は立ってるよ
彼はフォークソングを歌うフォークを持ってるよ

ＡＢＣＤＥＦＧＨＩＪＫＬＭＮＯＰＱＲＳＴＵＶＷＸＹＺ

　　自分流の楽しい手合わせ遊びを作ってみてはいかがでしょう。調子のよい手合わせができるように、語彙は変えても全然平気。遊んでいるうちに、発音が身についてきます。

　　18世紀から歌い継がれているイギリスのわらべ歌「A-Hunting We Will Go（狩りに行こう）」のリズムで、こんな歌はいかが？　「狩り」を「釣り」に変えてみました。

A-fishing we will go.
A-fishing we will go.
We catch a fish
And put it on the dish
And then we will let it go！

釣りに行こう
釣りに行こう
魚を捕るぞ
そしてお皿にのせて
そのあと放すんだ！

見ながら一緒に発音しよう　リーパーすみ子　Ｆの音
https://www.youtube.com/watch?v=Pmm0HGEQZgw

V, v

- -
単語に含まれるときの音はヴッ・ヴッ・ヴッ [v]

Very

Love

Violin

下くちびるを
噛むのを
忘れずに

◇アルファベットの V, v の名前は、「ヴィー」[víː]。

　だけど、単語の中に入ると「ヴッ」[v] という音になります。

◇「ヴッ」の音の出し方、口の開け方を練習しましょう。

　上の前歯で下くちびるの内側をごく軽く噛み、「ヴッ」と破裂させる有声音です。無声音の f とは親戚です。

◇「ヴッ」の発音ができたら、どのようにブレンドされているか見てみましょう。

Very [véri]　ヴッェゥルィ（非常に）

1. 親指を立て、v《ヴッ》。下くちびるを軽く噛んで。

2. 人差し指を立て、e《エ》。v に続く e は、日本語の「エ」に近い音。ちょっとだけ口を横に開けて「エ」です。

3. 中指を立て、r《ウル》。口をとがらせ、舌はどこにもつけずに、のどの奥から声を出します。

4. 薬指を立て、軽く y《イ》。口は横に開き、のどの奥から「イ」。

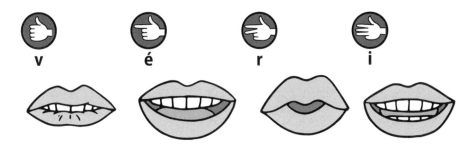

　短い単語ですが ve/ry と 2 音節です。前半の ve をブレンドすると、子音が強く「ヴェ」となります。後半は r「ウル」のあと、口を横に開き、軽くのどの奥から i「イ」。続けると「ヴェゥルィ」という感じになります。

Love [lʌ́v] ルァヴッ （愛）

1. 親指を立て、l《ル》。舌を前歯の後ろにつけます。
2. 人差し指を立て、短く u《ア》。口は縦でもなく横でもなく、少しだけ開け、舌は下の歯の後ろにつけ、力を抜いて軽く「ア」。脱力の「ア」。日本語の「ア」に近い音です。
3. 中指を立て、v《ヴッ》。下くちびるを軽く噛んで。

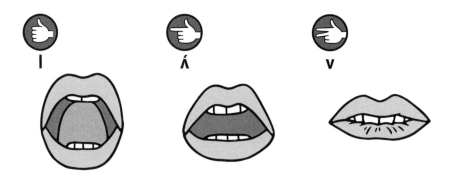

全体をブレンドすると「ラァヴ」。最後の e は発音しないことに注意。

Violin [vàiəlín]　ブァィアリィンヌ（バイオリン）

　Violin は、vi/o/lin と 3 つの音節から成り立っています。3 つに分けて音節ごとに練習してみましょう。

1. 親指を立て、第 1 音節 vi。v は下くちびるを軽く噛んで v《ヴッ》、次は、二重母音の i《アイ》。一緒にして vi《ヴァイ》。二重母音の「アイ」は「ア」を強く、「イ」はそっと発音します。続けて「ヴァィ」。
2. 人差し指を立て、o《ア》。力を抜いて、なまけ者の曖昧母音です。
3. 中指を立て、lin《リン》。舌を上の歯茎にピタッとつけて l《ル》。そこに弱い i《イ》を持っていき、続けて「リィ」。最後は、舌を前歯の後ろにつけ、口を少し開けて、鼻から抜けるような音で n《ンヌ》。続けて「リィンヌ」。

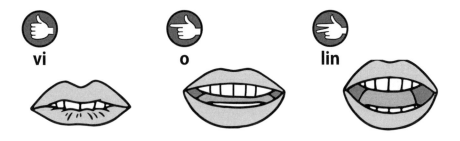

vi　　　　**o**　　　　**lin**

　Vi/o/lin の 音節は 3 つです。まずは、それぞれ分けて練習してみます。慣れてきたら、今度は「ヴァィ」「ア」「リィンヌ」を全部続けてみましょう。母音がたくさん入っているので日本語に似ています。l に気をつければ、発音しやすいですね。violin という感じでアクセントを lin に持っていってください。

v を使ったナンセンスなお話を作ってみました。v を強調して読んでみて
ください。

My friend's name is **V**iola.　She has a **v**iolet **v**iolin.

She has a **v**ery good **v**oice.　She has a **v**illa in **V**ietnam.

Vines are all o**v**er on her **v**illa

私の友だちの名前はヴィオラ。彼女はすみれ色のバイオリンを持っている
彼女はとても素敵な声をしている。彼女はベトナムに別荘を持っている
その別荘にはつる草がからまっている

Viola takes **v**itamins **v**igorously every day to clip the **v**ines of her **v**illa.

Viola thought that I don't have time to practice my **v**iolet **v**iolin

but I have to play my **v**elvet **v**iolet **v**iolin on **V**alentine's day for the **v**ampires.

ヴィオラは毎日元気にビタミンをとって、別荘にからまるつる草を刈る
ヴィオラは、私にはすみれ色のバイオリンを練習する時間はないと思って
いるけど
私はバレンタインデーに、ビロードですみれ色のバイオリンを弾かなくては
ならないの　吸血鬼たちのために

　「Viola」はこの場合、人の名前です。v と i がブレンドされて「ヴィ」と
なりヴィオラです。スパニッシュ系アメリカ人の私の友人は、ヴァイオラと

呼ばせています。固有名詞ですから、国や地方によって読み方が違うのでしょ
う。「villa」は別荘、「vine」はつる草、「velvet」はビロードのこと。「vampire」
は、吸血鬼のヴァンパイアです。「Vietnam」は東南アジアのベトナム社会
主義共和国、通称 ベトナム。アメリカでは、「ヴィェトナム」と発音されます。

　v で始まる違う単語を使って、物語をどんどん進めていってはいかが？
楽しいですよ。v が真ん中に入る単語も加えれば、もっとありますよ〜。

Vanish	[vænɪʃ]	消える
Over	[oʊ.vɚ]	〜の上に
Never	[nɛvɚ]	決して
Violent	[váɪələnt]	乱暴な
Vicious	[víʃəs]	悪意のある
Victory	[víktəri]	勝利

見ながら一緒に発音しよう　リーパーすみ子　V の音
https://www.youtube.com/watch?v=8dpNeEDArgc

M, m

単語に含まれたときの音はム・ム・ム [m]

Map　　　　**Ham**　　　　**Mom**

くちびるを
ぎゅっと閉じて

◇アルファベットの M, m の名前は、「エム」[ém]。

だけど、単語の中に入ると「ム」[m] という音になります。

◇「ム」の音の出し方、口の開け方を練習しましょう。

くちびるを閉じて、息をしっかり止めて「ム」と発音します。

◇「ム」の発音ができたら、単語の中に入るとどのようになるか探っていきましょう。

Map　[mǽp]　ムァプッ　（地図）

1. 親指を立て、m《ム》。口をぎゅっと結びます。
2. 人差し指を立て、a《ア》。つぶれたような [æ] の発音は、口を横に開いて，つぶれたような声で「ア」。
3. 中指を立て、p《プッ》。すいかの種をプッと出します。

　ma（子音＋短母音）はブレンドすると、子音が強く「マァ」。全体では「マァプッ」となります。

Ham　[hǽm]　ハッァム（ハム）

1. 親指を立て、h《ハッ》。息を吐き出すように。
2. 人差し指を立て、a《ア》。もうおなじみ、つぶれたような [æ] の発音は、口を横に開きます。
3. 中指を立て、m《ム》。口をしっかり閉じて。

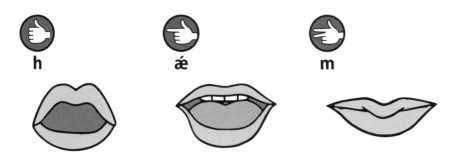

h　　　　　　æ　　　　　　m

　ha（子音＋短母音）のブレンドは「ハァ」、m を加えて「ハァム」。音節は、ひとつです。m できちんと口を結ぶときれいな発音になります。お子さんたちと練習するときは、h~~~a~~~m と 1 文字ずつゆっくり、あるいは、/h/a/m/ などと切ってから ham と続けるなど、いろいろなやり方があります。

Mom 〔mám〕 ムァム（ママ）

1. 親指を立て、m《ム》。口をぎゅっと結びます。
2. 人差し指を立て、o《ア》。口に 3 本指が入るくらい、縦に開けて、「オ」
   と言うと「ア」と「オ」の中間に近い「ア」音が出ます。
3. 中指を立て、m《ム》。口をしっかり閉じて。

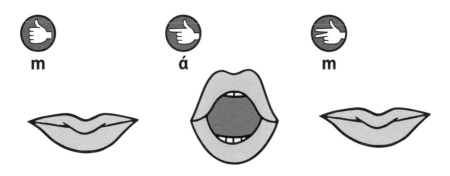

m　　　　　　　　á　　　　　　　　m

　全体をブレンドすると「マァム」となります。これは主にアメリカでの言
い方で、イギリスでは「マム」[mʌ́m] です。どちらにしろ、子音の m を強調
するのを忘れずに。

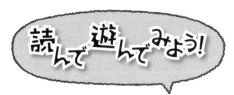

mをふんだんに使って、遊んでみましょう。動物たちの鳴き声を英語で
はどのように表現するのか、日本語と比べてみるのも面白いですね。

Can you guess **m**y ani**m**al ?	私の動物を当ててみて
My ani**m**als are **m**y friends.	動物たちがお友だち
Can you guess **m**y ani**m**al ?	私の動物を当ててみて
My best friends are ani**m**als,	大好きな友だちは動物たち
Of course, yei !	もちろんよ、イェーイ！
My ani**m**al says,	私の動物はこんなふうに鳴くよ
/**m**eow//**m**eow//**m**eow/	ミャウ、ミャウ、ミャウ
My ani**m**al says **m**eow.	私の動物はミャウと鳴く
Yes, it's a cat.	そう、それはネコ

My animal says,

/maa//maa//maa/

My animal says maa.

Yes, it's a sheep.

私の動物はこんなふうに鳴くよ

ムァ〜、ムァ〜、ムァ〜

私の動物はムァ〜と鳴く

そう、それはひつじ

My animal says,

/moo//moo//moo/

My animal says moo.

Yes, it's a cow.

私の動物はこんなふうに鳴くよ

ムゥー、ムゥー、ムゥー

私の動物はムゥーと鳴く

そう、それは牛

N, n

単語に含まれるときの音はンヌ・ンヌ・ンヌ [n]

Nap　　　　**Nine**　　　　**Nest**

のどの奥から
鼻に抜けるように

◇アルファベットの N, n の名前は、「エンヌ」[en]。

　だけど、単語の中に入ると「ンヌ」[n] という音になります。

◇「ンヌ」の音の出し方、口の開け方を練習しましょう。

　M と違って、口は少し開けます。そして舌の先を前歯の後ろにつけて、のどの奥から鼻に向かって「ンヌ」という音を出します。この音は鼻音と呼ばれています。

◇「ンヌ」の発音ができたら、単語の中でどのようにブレンドされるかを見てみましょう。

Nap　[næp]　ンヌァプッ（うたた寝）

1. 親指を立て、n《ンヌ》。口を少し開けて、舌を前歯の後ろにつけ、鼻から音を出したときに舌を前歯から離します。
2. 人差し指を立て、a《ア》。つぶれたような [æ] の音は、口を横に開いて「ア」。
3. 中指を立て、p《プッ》。スイカの種をプッと吐き出すような感じで「プッ」。

n　　　　　　æ　　　　　　p

　na（子音＋短母音）は、ブレンドすると子音を強く発音し、全体では「ヌナァプッ」という感じになります。

Nine　[náin]　ンヌァィンヌ（9）

1. 親指を立て、n《ンヌ》。舌を前歯の後ろにつけて、「ンヌ」という音を鼻から出します。

2. 人差し指を立て、i《アィ》。アルファベット読みの二重母音です。「ア」をはっきり、「イ」を弱く「アィ」と発音します。

3. 中指を立て、n《ンヌ》。舌を前歯の後ろにつけて、鼻から音を出します。

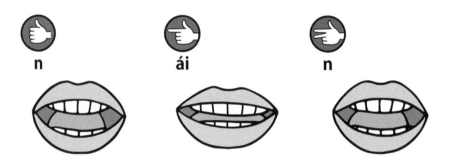

n　　　　　　ái　　　　　　n

全体をブレンドすると「ヌナァィンヌ」最後のeは発音しないことに注意。

Nest [nést] ンヌェストゥッ（巣）

1. 親指を立て、n《ンヌ》。舌を前歯の後ろにつけて、鼻から「ンヌ」。

2. 人差し指を立て、e《エ》。日本語とほぼ同じ「エ」。スマイル調に口を横に開いて「エ」。「n」と「e」をブレンドすると「ヌネェ」に近くなります。

3. 中指の s は、歯茎の後ろ近くに舌を持っていき、でも舌を歯茎につけないで「ス」と息を吐き出してください。。

4. 薬指も使います。舌を前歯の後ろにつけて「トゥッ」と破裂させます。

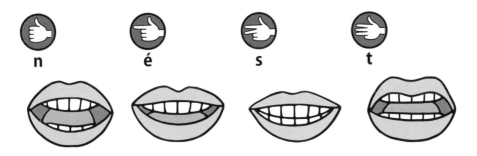

n　　　é　　　s　　　t

　　全体をブレンドすると、母音の「エ」にはちょっとご遠慮いただき、「ヌネェストゥッ」となります。

読んで遊んでみよう!

こんなお話はいかがでしょうか。n のお話です。

My **n**ame is **N**ina.
Netherlands is my **n**ative country.
I'm **n**ine years old.
I love **n**oodles.
I cook **n**oodles with **n**uts and **n**ectarine.

私の名前はニーナ
ネザーランド（オランダ）が母国
9歳で
ヌードルが大好き
ナッツとネクタリン入りヌードルを作るの

Ninety-**n**ine years old lady lives **n**ext door.
She likes to **n**ibble **n**utty candies all the time and
she takes a **n**ap from **n**ine o'clock until **n**oon.
She tells me that I'm too **n**oisy.

99歳の老婦人が隣に住んでいるの
ナッツ入りキャンディをいつもかじってて
9時から正午まではお昼寝
彼女は、私が騒がしいって言うの

I bring her my cooked **n**oodles

when she is **n**asty to me.

I bring **n**apkins, too.

Because, she has runny **n**ose.

彼女が私にガミガミ言うときは

手作りのヌードルを持っていってあげるの

ついでにナプキンも持っていってあげる

だって、いつも鼻水が出ているんですもの

nibble は「かじる」、nasty は「がみがみ」、nose は「鼻」、runny は「流れやすい」ですので、あわせて「鼻水」のこと。

また、nectarine（ネクタリン）は小さな桃のようなフルーツです。

グループ **9** | S, Z 少し歯を見せて

S, s

単語に含まれるときの音はス・ス・ス [s]

Sun   Six   Salt

スースー息が
吹き抜ける

◇アルファベットの S, s の名前は、「エス」[és]。

だけど、単語の中に入ると「ス」[s] という音になります。

◇「ス」の音の出し方、口の開け方を練習しましょう。

舌の先を前歯の後ろに近づけます。近づけるだけで、実際には前歯の後ろ

にはつけません。そして「ス」と息を破裂させましょう。無声音です。「スース—すきま風」なんて言うときの「ス」は、前歯を見せますね。そんな感じです。

◇「ス」の発音ができたら、sの音を使った単語の練習です。単語の中に入ると、どのようにブレンドされているでしょうか。

Sun ［sʌ́n］ スァンヌ（太陽）

1. 親指を立て、s《ス》。舌先を前歯の後ろに近づけて息を吐き出します。
2. 人差し指を立てて、u《ア》。日本語の「あ」とほとんど同じと考えてよいでしょう。口を少しだけ開け、弱めの「ア」です。
3. 中指を立て、n《ンヌ》。口を少し開けて、舌の先を前歯の後ろにつけて、音を鼻から出します。

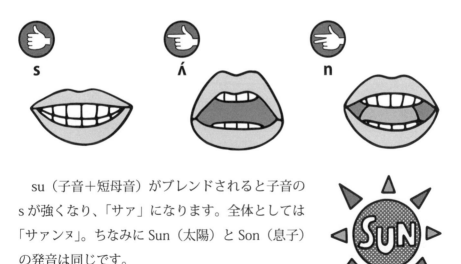

　su（子音＋短母音）がブレンドされると子音のsが強くなり、「サァ」になります。全体としては「サァンヌ」。ちなみにSun（太陽）とSon（息子）の発音は同じです。

Six [síks] スィクス（6）

1. 親指を立て、s《ス》。舌先を前歯の後ろに近づけて息を吐き出します。

2. 人差し指を立て、i《イ》。短母音の「i」は、口を横に開いてスマイル調でのどの奥から「イ」。

3. 中指を立て、x《クス》。破裂させる「ク」と、息を吐き出す「ス」を組み合わせます。

s   í   ks

全体をブレンドすると「シィクス」。

ちょっとした 英文練習

She is six years old, I am sixty-six years old.

彼女は 6 歳、私は 66 歳よ

Salt　[sɔ́ːlt]　スォールトゥッ（塩）

1. 親指を立て、s《ス》。舌先を前歯の後ろに近づけて息を吐き出します。
2. 人差し指を立て、a《オー》。口を大きく開けて、唇を丸くしてキスする
   ような形にして「オー」。
3. 中指を立て、l《ル》。前歯の後ろに舌をつけます。
4. 薬指を立て、t《トゥッ》。舌を前歯の後ろにつけて、無声で破裂させます。

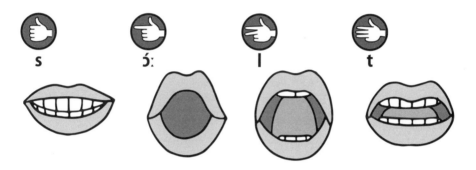

　sa（子音＋短母音）をブレンドさせて「ソォー」と伸ばします。全体を続
けると「ソォールトゥッ」となります。「ソルト」ではありません。

ABCDEFGHIJKLMNOPQRSTUVWXY

読んで遊んでみよう！

　　アメリカの幼稚園児は、こんな言葉遊びもしていますよ。

Say, say, say the sounds　　　言って、言って、言ってみて

Slowly, slowly, slowly　　　ゆっくり、ゆっくり、ゆっくりと

This is how they go.　　　こんなふうになるよ

大人：/s/l/e/e/p/　　　ス・ル・イ・イ・プッ

（一字ずつゆっくり、音を出してください）

子どもたち：sleep！（スルィープッ！）

Say, say, say the sounds

Slowly, slowly, slowly

This is how they go.

大人：/s /i /n /g/　　　ス・ィ・ンヌ・グッ

（一字ずつゆっくり、音を出してください）

子どもたち：sing！（スィンヌグッ！）

ｓの発音がとても綺麗だなあと思う歌があります。

バーブラ・ストライサンドとニール・ダイアモンドがデュエットで歌う「You Don't Bring Me Flowers」です。1978 年にアメリカのヒットチャート１位になった大ヒット曲で、日本でも「愛のたそがれ」というタイトルで発売されました。

最初はバーブラのパートで、こう始まります。

You don't bring me flowers　　　あなたは、もう私に花を持ってきません
You don't sing me love songs　　私に愛の歌を歌うこともありません

こんなふうに最後が「ｓ」で終わっているのです。とても綺麗な「ｓ」です。先日、車を運転していたらラジオから流れてきて、すっかり聞き惚れてしまいました。

見ながら一緒に発音しよう　リーパーすみ子　Ｓの音
https://www.youtube.com/watch?v=igY2rGCw17U

Z, z

- -

単語に含まれるときの音はズ・ズ・ズ [z]

Zip　　　**Zone**　　　**Zebra**

ズィーズィー
引きずるように

◇アルファベットの Z, z の名前は、「ズィー」[zíː]。

　だけど、単語の中に入ると「ズ」[z] という音になります。

◇「ズ」の音の出し方、口の開け方を練習しましょう。

　舌の先を前歯の後ろに近づけます。近づけるだけで、実際には前歯の後ろにはつけません。そして口を少し開けて「ズ」と空気を外に出します。s「ス」と似ていますね。

　s「ス」が無声音、z「ズ」は有声音です。口の開け方は、ほとんど同じです。

◇「ズ」の発音ができたら、zの音を使った単語の練習です。単語の中に入ると、どのようにブレンドされているでしょうか。

Zip　[zíp]　ズィプッ（ジッパーを締める）

1. 親指を立て、z《ズ》。舌先を前歯の後ろに近づけて、破裂させます。
2. 人差し指を立て、i《イ》。口をちょっと横に開き、スマイル調。筋肉を緩めて「イ」。のどの奥から軽く「イ」。
3. 中指を立て、スイカの種をp《プッ》と吐き出すように。

z　　　　　　　í　　　　　　　p

　　zi（子音＋短母音）をブレンドさせて、子音を強く「ズィ」。さらにpを続けて「ズィプッ」となります。

Zone　[zóun]　ズオゥンヌ（地帯）

1. 親指を立て、z《ズ》。舌先を前歯の後ろに近づけて、息を出して発音します。
2. 人差し指を立て、o《オゥ》。アルファベット読みの二重母音です。
3. 中指を立て、n《ンヌ》。口を少し開けて、舌を前歯の後ろにつけ、鼻から
　　音を出します。

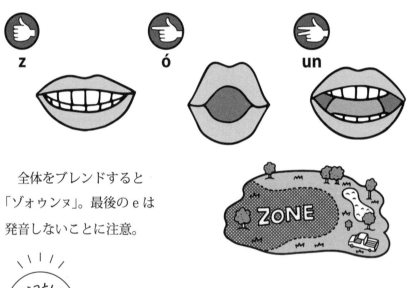

z　　　　**ó**　　　　**un**

　全体をブレンドすると
「ゾォゥンヌ」。最後の e は
発音しないことに注意。

ちょっとした
**英文
練習**

In the winter, Japan and the U.S.A. have a time zone
difference of +16 hours. (The area that I live in is the U.S.A.
mountain time zone)

私の住んでいるアメリカの山岳部と日本では、冬は 16 時間
の時差があります。

＊：アメリカ山岳部の朝 5 時が、日本は同じ日の 21 時、つ
まり夜の 9 時。ただし、アメリカでは夏時間（サマータイム
＝だいたい 3 月から 11 月まで）は時計を 1 時間早めるので、
日本時間との時差は 15 時間になります。

Zebra　[zíːbrə]　ズィーブッゥルァ　（シマウマ）

1. 親指を立て、z《ズ》。舌先を前歯の後ろに近づけて、息を出します。
2. 人差し指を立て、e《イー》。[iː] は、にっこり笑うように口を横に開き、弱めに「イー」と伸ばして発音してください。
3. 中指を立て、b《ブッ》。口を閉じて「ブッ」と息を破裂させます。
4. 薬指を立て、r《ゥル》。舌をどこにもつけずに、のどの奥から「ゥル」と発音します。
5. 小指を立て、a《ア》。口を軽く開けて、曖昧母音です。

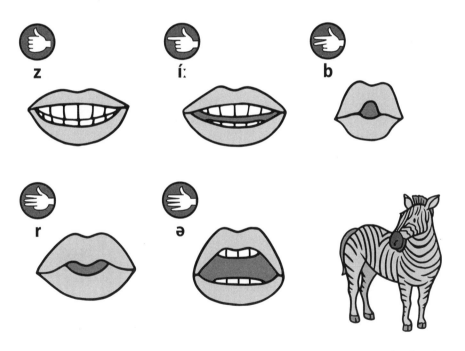

z　íː　b

r　ə

　母音が２つ入っているので、ze/bra　２音節の単語です。ze（子音＋短母音）をブレンドさせると「ズィー」。全部続けて「ズィーブラァ」。子音が大きな顔をして、のさばっていますね。

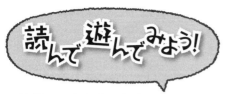

読んで遊んでみよう!

幼稚園や小学校の教室でマザーグースの歌を教えると、子どもたちはすぐのってきてくれます。リズミカルな節回しが楽しいのだと思います。

「Hickory, Dickory, Dock（ヒッコリー、ディッコリー、ドック）」のナンセンスライムをもとに、zの遊びにも使ってみましょう。

元歌はこちら。

Hickory, dickory, dock,
The mouse ran up the clock.
The clock struck one,
The mouse ran down,
Hickory, dickory, dock.

ヒッコリー、ディッコリー、ドック
ネズミが時計をかけのぼったよ
時計が1時の鐘を打ったら
ネズミが時計をかけおりていったよ
ヒッコリー、ディッコリー、ドック

では、歌の中の単語を、「z」で始まる言葉に置き換えてみましょう。たとえば、こんな感じで。

Zickory, zickory, Zack,	ズィコゥリー、ズィコゥリー、ザック
The zoo zoomed the zebra,	動物園がシマウマを拡大して見せた
The zebra zapped Zack,	シマウマがザックを打ち負かしたよ
Zickory, zickory, Zack.	ズィコゥリー、ズィコゥリー、ザック

Zack（ザック）は男の子の名前です。z で始まる単語は、ほかにも zero（ゼロ）、zigzag（ジグザグ形）などがあります。

『THE Z WAS ZAPPED』という絵本もおすすめです。ちょっと奇妙なアルファベットの絵本です。作者のクリス・ヴァン・オールズバーグは世界的に有名な絵本作家で、日本でも村上春樹さんが『ジュマンジ』（あすなろ書房）や『急行「北極号」』（河出書房新社）など何冊も翻訳されていますね。

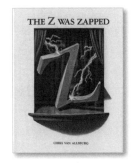

見ながら一緒に発音しよう　リーパーすみ子　z の音
https://www.youtube.com/watch?v=paX_CV5jeaY

グループ **10** | H, W　息をちょっと出す

H, h

単語に含まれるときの音はハッ・ハッ・ハッ [h]

Hot　**Hen**　**Hand**

走ったあとの
息づかい

◇アルファベットの H, h の名前は、「エイッチ」[éitʃ]。

　だけど、単語の中に入ると「ハッ」[h] という音になります。

◇「ハッ」の音の出し方、口の開け方を練習しましょう。

　私が働いていた学校の幼稚園の先生は、口の前に紙を当てて「ハッ」と息

をかけ、「こんなふうに、息を吹きかけるの。これが h の発音よ」と教えて
いました。日本語の「ハ」や「フ」は「ハァ」「フゥ」とちょっと母音が入っ
ていますが、h は母音を入れずに息を吐くだけの無声音です。

◇「ハッ」の発音ができたら、h の音を使った単語の練習です。h は次にく
る母音に左右される音です。

Hot　[hát]　ハッァトゥッ（暑い、熱い）

1. 親指を立て、h《ハッ》と息を吐き出します。
2. 人差し指を立て、o《ア》。口を少し縦に開いて、力を抜いて「オ」とい
   うと、o《ア》に近くなります。舌先は軽く下の歯茎の裏につけ、のどの
   奥の空間を広げてください。アクビの「ア」と説明している方もいました。
   口を大きく開けるということです。
3. 中指を立て、t《トゥッ》。舌を前歯の後ろにつけて、破裂させる無声音です。

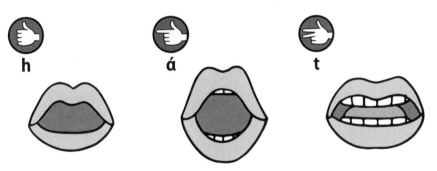

全体をブレンドすると、子音をでしゃばらせて「ハァトゥッ」。

Hen [hén] ハッェンヌ（めんどり）

1. 親指を立て、h《ハッ》と息を吐き出します。
2. 人差し指を立て、e《エ》。日本語の「エ」とほとんど同じ音。少しだけ
   口を横に開けて「エ」です。
3. 中指を立て、n《ンヌ》。舌を前歯の後ろにつけて、鼻から音を出します。

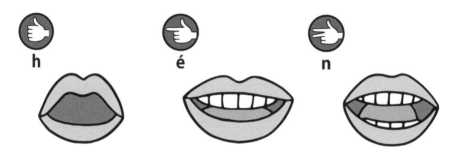

全体を続けると「ヘェンヌ」という感じになります。

Hand　[hǽnd]　ハッァンヌドゥッ（手）

1. 親指を立て、h《ハッ》と息を吐き出します。
2. 人差し指を立て、a《ア》。つぶれたような [æ] の音は、口を横に開いて「ア」。
3. 中指を立て、n《ンヌ》。舌を前歯の後ろにつけて、鼻から音を出します。
4. 薬指を立て、d《ドゥッ》。舌を前歯の後ろにつけて、破裂させます。

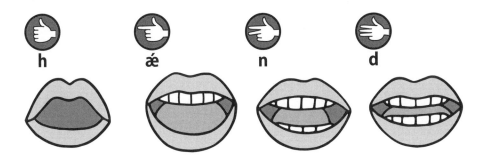

　　ha（子音＋短母音）はブレンドすると、子音が強い「ハァ」になります。全部続けると「ハァンヌドゥッ」という感じです。

A B C D E F G H I J K L M N O P Q R S T U V W X Y

楽しい縄跳(なわと)びソングがあります。始まりはこんなふうです。

Hello, hello, hello, sir.	ハロー、ハロー、ハロー、サー
Meet me at the grocer.	雑貨屋さんで私と会って
No, sir.	ノー、サー
Why, sir ?	どうして、サー？

　No, sir は、男性に対して使われる「いいえ、違います」の意味です。
　このわらべ歌に h をたくさん盛り込んで、作り替えてみました。いかが
でしょうか。

Hello, **h**ello, **h**ello, sir.	ハロー、ハロー、ハロー、サー
Meet me at the **H**untington Beach.	ハンティントン・ビーチで私と会って
No, sir.	ノー、サー
Why, sir ?	どうして、サー？

Because I am **h**atching eggs, sir.	だって私は卵を孵(かえ)してるの、サー
Where are you **h**atching eggs, sir ?	どこで卵を孵してるの、サー？
At the beach in **H**awaii, sir.	ハワイのビーチで、サー
What were you doing there, sir ?	そこで何をしていたの、サー？
Counting **h**appy **h**ens, sir.	陽気なめんどりを数えていたの、サー
How many did you count, sir ?	何羽数えたの、サー？
1, 2, 3, 4, 5…	１、２、３、４、５……

hの音の出し方に気をつけながら、縄跳びをしてはどうでしょう。ふたりで向き合ってでもよし、両端に縄跳びを持っている人がいて、ひとつの縄跳びの中に入っていくのもよし。いろいろと工夫して、楽しく遊んでください。

見ながら一緒に発音しよう　リーパーすみ子　Hの音
https://www.youtube.com/watch?v=-MYaoSLjXRg

W, w

単語に含まれるときの音はウー・ウー・ウー [wu]

Wet　　　　**Walk**　　　　**Work**

キスするとき
みたいに　　　ウー

◇アルファベットの W, w の名前は、「ダブリュウ」[dʌˈbljuː]。

　だけど、単語の中に入ると、「ウー」[wu] という音になります。

◇「ウー」の音の出し方、口の開け方を練習しましょう。

　まるでキスを求めているかのように、くちびるを思いきり前に突き出して
みてください。w は、u と u が 2 つつながったような音ですね。「ウー」と
伸ばしましょう。

◇「ウー」の発音ができたら、w の音を使った単語の練習です。単語の中に入ると、どのようにブレンドされているでしょうか。

Wet　[wét]　ウーェトゥッ（濡れた）

1. 親指を立て、w《ウー》。くちびるを丸く突き出して「ウー」と発音。
2. 人差し指を立て、e《エ》。口を横に広げて、「エ」。
3. 中指を立て、t《トゥッ》。舌を前歯の後ろにつけて、無声で破裂させます。

w　　　é　　　t

　　we（子音＋短母音）がブレンドされると、「ウェ」。最後の t を続けて「ウェトゥッ」です。

Walk [wɔ́ːk] ウォークッ（歩く）

1. 親指を立て、wの音の発音です。くちびるを丸くして前に突き出すような
   形を作ってください。キスをするような形です。
2. 人差し指を立て、aは、丸めた「w」のくちびるのまま《オー》。[ː]のサ
   インがあるので、「ウォー」と伸ばします。
3. 中指を立て、k《クッ》と、のどの奥から破裂させます。

w   ɔ́ː   k

　wとaは、ブレンドすると「ウォー」に近くなること、そして、
l（エル）は発音しないことを頭に入れておいてください。「ウォーク」です。

　難しく考えないで、walkは「l」を飛ばして、w/o/kの3音から成り立っ
ている「ウォーク」と考えて発音してください。

Work [wə́ːrk] ウァーゥルク（働く）

1. 親指を立て、w《ウ》。くちびるを丸く突き出します。

2. 人差し指を立て、続く o と r は、曖昧に弱く発音します。舌をどこにも
   つけず、口はあまり開かず、ちょっと歯を見せながら口を横に開きます。
   「ウァーゥル」と続けて発音してください。w と r の発音に支配されてい
   る単語だなと思ってください。

3. 中指を立て、k《クッ》と、息を破裂させます。

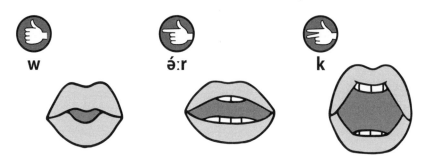

続けると「ウァーゥルク」という感じ
です。わかりにくかったら、まず were と
言ってから、k をつけ足してみてください。

モゴモゴと口ごもったように were と
言ってから、k を添えて「ウァーゥルク」。

A B C D E F G H I J K L M N O P Q R S T U V W X Y

　wで始まるマザーグースのわらべ歌「Wee Willie Winkie（ウィー・ウィリー・ウィンキー）」で、頭のwをいろいろと入れ替えて遊んでみてはいかがでしょうか。

　元歌はこちら。「Wee」は（小さな）という意味です。

Wee **W**illie **W**inkie runs through the town,
Upstairs and downstairs, in his nightgown;
Tapping at the window, crying through the lock,
"Are the children in their beds?
Now it's eight o'clock."

ウィー・ウィリー・ウィンキーが町を駆け抜ける
パジャマ姿で、階段を上ったり下りたり
窓をたたいたり、鍵穴から叫んだり
「子どもたちは寝たかい？ もう 8 時だよ」

A B C D E F G H I J K L M N O P Q R S T U V W X Y Z

　元歌を読んだ後は、自分たちでナンセンスな文を作ってみてください。意味がなくてもよいのです。たとえば……

Wee **w**hale **W**endy run through the town
Upstairs and downstairs in her pajamas,
Tapping at the door, shouting the light,
"Are the kittens in their bed, for it's now nine o'clock?"

ウィー・ウェィル・ウェンディーが町を駆け抜ける
パジャマを着て階段を上ったり下りたり
ドアを叩いて電灯に呼びかける
「子猫たちは寝たかな？　もう、9時だぞ」

　こんな調子で名詞を変えながら、自分なりの詩を作ると楽しいですね。
　なお、wh [hw] の発音は、ｗとｈが一緒になって、口からかなり大きな息を出します。ところが、What, where, when, why, who など wh で始まる単語は、最近の傾向としてはｈを発音しないという意見もあります。つまり、これらもみんなｗ「ウー」の発音で始められるのです。

見ながら一緒に発音しよう　リーパーすみ子　Ｗ の音
https://www.youtube.com/watch?v=9xIecBDHhEI

グループ 11 | X, Y　ちょっと変わり種

X, x

単語に含まれるときの音はクス・クス・クス [ks]

Box　　**Relax**　　**Mix**

2つの音を
素早く
くっつける

◇アルファベットの X, x の名前は、「エクス」[éks]。

　だけど、単語の中では語尾につくことが多く、「クス」[ks] という音になります。

◇「クス」の音の出し方、口の開け方を練習しましょう。

まず息を止めて「クッ」と破裂させ、次に舌の先を前歯の後ろに近づけて「ス」と息を出します。合わせて「クス」と発音します。

◇「クス」の発音ができたら、単語の中でどのようにブレンドするのか試してみましょう。

Box　[báks]　ブッァクス（箱）

1. 親指を立て、b《ブッ》と息を破裂させます。
2. 人差し指を立て、o《ァ》。口を大きく開けて、「ァ」と短く発音します。「o」ですが、「ァ」の発音です。アクビの「ァ」を頭に入れて、発音してください。
3. 中指を立て、x《クス》。破裂させる「ク」と、息を吐き出す「ス」を組み合わせます。

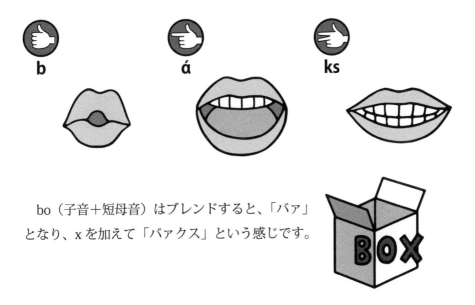

b　　　　　　á　　　　　　ks

　bo（子音＋短母音）はブレンドすると、「バァ」となり、x を加えて「バァクス」という感じです。

Relax　[rilǽks]　ゥルイラァクス（くつろぐ）

　日本語によく出てくる動詞です。音節は re/lax と２つですが、ここでは発音練習のために re/la/x と、あえて３つに分けさせていただきます。

1. 親指を立て、re《ゥルイ》。単語の頭にある r の発音は、口をつぼめて軽く「ゥ」と発音したあとに、舌をどこにもつけずに「ゥルイ」と発音してください。口をつぼめ、舌をどこにもつけないで「ゥルイ」です。
2. 人差し指を立て、la《ラァ》。舌の先を前歯の後ろにつけて「ラ」と言いながら、口を横に広げつぶれたような「ア」。続けて、「ラァ」と発音してください。できましたか？
3. 中指を立て、x《クス》。破裂させる「ク」と、息を吐き出す「ス」を組み合わせます。

ri　　　　　　　lǽ　　　　　　　ks

　まず、口をつぼめて re「ゥルイ」。そして，すぐそのあとにくる l と、口を横に広げるつぶれた「ア」の音を続けて la「ラァ」。最後に x も一緒にしましょう。re（口つぼめ）＋ la（ラの後に口を横に広げ）＋ x「クス」＝ relax です。ゆっくり、Relax しながら繰り返し練習してくださいね。

Mix [míks] ムィクス（混ぜる）

1. 親指を立て、m《ム》。口をぎゅっと結びます。
2. 人差し指を立て、i《イ》。小指1本が入るくらいに口を横に開けて、のどの奥から「イ」。
3. 中指を立て、x《クス》。破裂させる「ク」と、息を吐き出す「ス」を組み合わせます。

全体をブレンドすると「ミィクス」です。

ABCDEFGHIJKLMNOPQRSTUVWXY

読んで遊んでみよう!

　アメリカの有名な絵本作家・詩人・漫画家ドクター・スース の絵本『Fox in Socks』をご紹介します。
x を使った遊びをするにはもってこいです！

Knox in box.
Fox in socks.
Knox on fox in socks in box.
Socks on Knox and Knox in box.
Fox in socks on box on Knox.

箱の中のノックスくん
ソックスを履いたきつね
ソックスを履いたきつねの上に乗ってるノックスくん
ソックスを履いたノックスくんと　箱の中にいるノックスくん
靴下を履いたきつねは　ノックスくんの上の箱に乗ってます

　こんなふうに続いていきます。x の韻を踏むライミング遊びをするのに、ぴったりの絵本です。ちょっとアレンジして遊んでみましょう。

Max in socks in a box　　　　靴下を履いた箱の中のマックスくんが

playing with a fox　　　　　　きつねと遊んでます

and six foxes came with an ox　そして 6 匹のきつねが

　　　　　　　　　　　　　　　雄牛と一緒にやってきます

Xは働きもの。数字にも記号にもなります。

xはいろいろなシンボルとしても使われ、キスの印にもなります。

「Hug you xxx」とメールに書いてくる友人がいます。Hug（ハグ）はこの頃、日本でも使われるようになりましたが、「抱きしめる」こと。 x はキスを意味します。xxx でキス3つです。訳せば「あなたを抱きしめ、チュッチュッチュッ」ですが、友人同士の軽い愛情表現のひとつ。日常会話で気軽に「Love you！」と言うような感じです。

2×2などのかけ算のサイン「×」（乗算記号）とアルファベットの「X」（エクス）は厳密には違うものです。日本語ではワープロなどで「かける」「えっくす」と打って漢字変換すると、ちょっぴり違う「×」と「X」が出てきます。でも、アメリカなどの英語圏にはそんな文字変換はありませんので、かけ算のサインも「X」（エクス）を使っています。物理学者の私の夫もそうしているそうです。コンピュータの世界では「X」と区別するために「＊」（アスタリスク記号）を使うようですが、一般的ではありません。

また、ローマ数字では、「X」は「10」を意味します。ためしに1から12までをローマ数字で順に書くと、I, II, III, IV, V, VI, VII, VIII, IX, X, XI, XII..... となります。気づかれた人もいるでしょう。「V」は5を表します。さらに「L」は50、「C」は100、「D」が500、「M」は1000ですから、2023年は「MMXXIII」となりますが、そこまで覚えなくてもいいですよね。ローマの遺跡には、このアルファベットの数字が刻まれています。

見ながら一緒に発音しよう　リーパーすみ子　X の音
https://www.youtube.com/watch?v=wRaw_pgGhzM

Y, y

単語に含まれるときの音は ィヤ・ィヤ・ィヤ [j]

Yes　　　　**Yet**　　　　**Yesterday**

口を左右に
引っ張って

◇アルファベットの Y, y の名前は、「ワァイ」[wái]。

　だけど、単語の中に入ると「ィヤ」[j] という音になります。子音的な半母音といわれています。

◇「ィヤ」の音の出し方、口の開け方を練習しましょう。

　口をちょっと開けた状態で、舌先を下の歯の後ろにつけ、舌の真ん中を高くして、「ィヤ」。「ヤ」を強めに 1 音として発音します。

◇「ィヤ」の発音ができたら、y の音を使った単語の練習です。単語の中に入ると、どのようにブレンドされるのでしょうか。

Yes　[jés]　ィヤェス（はい）

1. 親指を立て、y《ィヤ》。舌どこにもつけずに、口を横に開いて。
2. 人差し指を立て、e《エ》。日本語と同じ「エ」。くちびるをにっこりと微笑むように、左右に広げます。
3. 中指を立て、s《ス)。舌先を前歯の後ろに近づけて息を吐き出します。

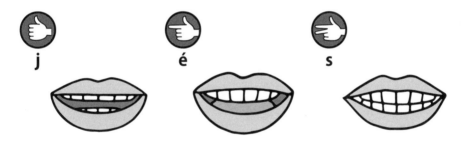

je（子音＋短母音）がブレンドすると「ィェ」。無声音の s を加えて「ィェス」となります。

Yet [jét] イャエトゥッ（まだ）

1. 親指を立て、y《イ》。前歯の下に舌をつけて、舌を持ち上げて「ィヤ」の感じで。のどを震わせる感じで「イ」の音を強く出します
2. 人差し指を立て、e《エ》。日本語に近い「エ」。口を横に開いて、軽く「エ」と言うとよいでしょう。
3. 中指を立て、t《トゥッ》。舌を前歯の後ろにつけて、無声で破裂させます。

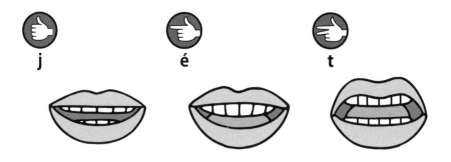

j　　　　　　　é　　　　　　　t

　je（子音＋短母音）がブレンドすると「イェ」。t を続けて「イェトゥッ」となります。

Yesterday [jéstərdei] イヤェスタァゥルドゥッェイ（昨日）

　3つの音節（シラブル）から成り立っている単語ですので、yes/ter/day と3つに分けたシラブルごとに説明しますね。

1. 親指を立て、ye《ィヤ》。je は前歯の下に舌をつけ、真ん中あたりの舌を持ち上げ、「ィヤ」。無声音の「ス」を一緒にすると、「ィヤェス」。
2. 人差し指を立て、ter《タァ》。歯の後ろに舌を置いて破裂させ、口をリラックスさせて曖昧母音の「ァ」を発音したあと、口をとがらせ、舌をどこにもつけずに「ゥル」。続けると「タァゥル」。
3. 中指を立て、day《ディ》。破裂させる「ドゥッ」に、口を左右に開け「ェ」と言ったあと、軽く「ィ」。ブレンドすると「デェィ」。

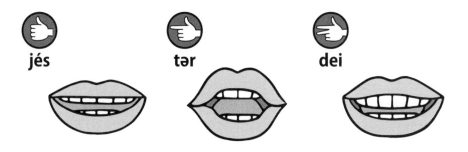

jés　　　tər　　　dei

　3 音節の単語です。長い単語ですが、「ィヤェス・タァゥル・ドゥッェイ」と3つの音節（シラブル）に分けると発音しやすいでしょう。「タァゥル」の部分がどうしてもわかりにくいようでしたら、「タァ」のあと、舌をどこにもつけずに「ゥル」と、r の発音をしてください。慣れてきたら、「ィヤェス・タァゥル・ドゥッェイ」と続けて言ってみましょう。

　「Yankee Doodle（ヤンキー・ドゥードゥル）」というテンポのよい歌をご存知でしょうか。

　1775 年、アメリカ東部沿岸のイギリス領植民地とイギリス本国との間で戦争が起きました。1783 年まで続いたこの戦争で、アメリカは独立を果たしました。

　「Yankee」はアメリカの軍隊を指していて、「Doodle」は「まぬけ」を意味します。「まぬけなアメリカ軍」ということです。元々はイギリス軍がアメリカ軍を侮辱するために歌ったのが起源とされています。

　日本では、歌詞の内容はまったく違いますが、調子のよいメロディーにのせて「アルプス一万尺」という歌になっていて、手遊び歌としても知られていますね。応援歌にもなっているようです。

♪ Yankee Doodle　ヤンキー・ドゥードゥル

Yankee Doodle went to town,	まぬけなヤンキーたちが町へ行った
a-riding on a pony;	ポニーに乗って
Stuck a feather in his cap	羽根を一本、帽子にさして
and called it macaroni.	マカロニ（洒落たイタリア人）気分
Yankee Doodle Keep it up,	ヤンキー・ドゥードゥル　その調子
Yankee Doodle dandy.	ヤンキー・ドゥードゥル　ダンディーだ
Mind the music and the step.	音楽にあわせてステップ踏めば
And with the girls be handy！	女の子たちもメロメロさ！

yで始まる、ショッピングリストを作ってみました。
ほかにも欲しいものはありますか？

yarn ［jάⱸn］	毛糸	
yo-yo ［jóʊjòʊ］	ヨーヨー	＊ yoyo と綴ることもあります
yogurt ［jóʊgⱸ:t］	ヨーグルト	
yacht ［jάt］	ヨット	
yeast ［jíːst］	イースト菌	
yam ［jæm］	ヤマイモ、サツマイモ	

　男の子が大あくびをしている表紙の絵本『yawn』（Sally Symes 作、Nick
Sharratt 絵）があります。yawn（あくび）という
単語を覚え、yの発音を学ぶよい題材です。

口の開き方でグループ分けして、子音を学ぶ　**161**

3

お母さん、
そして先生のための補足
ADDITIONAL TIPS FOR MOTHERS AND
TEACHERS

▶基本の短母音
BASIC SHORT VOWELS

　短母音（short vowel）とは「短い」母音のことです。音を伸ばしたり、重ねたりしません。a, i, u, e, o の発音が短いものです。たとえば、cat, big, push, bed, son など……どの母音も伸ばしていませんね。「ア・イ・ウ・エ・オ」を短く読む母音のことだと覚えておくとよいでしょう。

短母音 [æ]―a と e が一緒になった平べったい音

　口を横に開いて、「ア」と発音します。口が平べったくなるので、「エ」に近い、つぶれたような音になります。これはアメリカに住む外国人たちの発音技法のようで、「あの、a と e が一緒になった音ね」と台湾人やフィリピン人の友人たちは言っています。（bat, man, cat など）

短母音 [ɑ]― 口を大きく開け、「ア」の音

　日本人にとって難しいのは、o が「ア」に近い発音になることです。口を大きく開けて、のどの奥から、「オ」と言うと「ア」に近い音になります。口を大きく開けるのはやさしいのですが、舌の位置が人によって違うので、難しい短母音です。（hot, box, fox など）

短母音 [ʌ] ― 　日本語の「あっ、そう」の「ア」と同じ音

　umbrella の「ア」。umbrella は「雨傘」のこと。日本語で「あっ、そう」と言うときの「ア」とほとんど同じ音ですから、難しく考えず、いつも通り発音すれば大丈夫です。（but, umbrella, rush など）

短母音 [i] ― 　力を抜いて、軽く「イ」

　口を横にちょっと開いて、力を入れずに「イ」と「エ」の中間くらいの音

を出します。日本語の「イ」より軽く、力を抜いて。

　あごを少し突き出しながら「イ」と言うと、より英語的な「イ」になりますよ。（bit, fish, pin など）

短母音 [e]　―　日本語と同じエ

　egg の「エ」です。日本語とまったく同じ発音はこの e だけです。「えっ、なあに？」の「エ」。口を軽く横に開いて発音します。（bet, men, yes など）

本書には、私が友人たちと製作した英語発音についての動画のリンクも掲載しました（ＱＲコード付きです）。動画を参考に、よりネイティヴに近い発音ができるように練習してみてください。スマートフォンやタブレットなど、デバイスによって視聴できないことがあるかもしれませんが、その際は、パソコンなどでも試してみてくださいね。

▶曖昧母音について
SCHWA SOUND

曖昧母音を英語で schwa（シュワ）と呼びます。

発音記号は [ə] です。口も舌もリラックスさせ、くちびるを軽く開いて、のどの奥から「ア」と発音します。アメリカ英語では母音を弱く発音しますし、前後の音によって発音が少し変化することがあるため、「曖昧母音」と呼ばれています。（earth, hurt, work など）。曖昧、適当、なまけ者なんて呼ばれているシュワちゃんです。曖昧母音 [ə] のサインを見たら、「そうか、なまけていいんだ」なんて思いながら、リラックスして「ア」と短く言ってみましょう。

◉母音省略のサイン

　アメリカでは、住所表記や広告・宣伝文などで母音を省略したサインをよく見かけます。母音を弱く発音しているうちに、そのまま省略して書く習慣が広まったようです。

bldg.　mts.　mfg.　hwy.　rm.
　これは地図、ポスターなどでよく見かける、母音が省略されているケースです。なんの省略形かわかりますか？　正解は……

bldg. = building（ビルディング）
mts. = mountains（山）
mfg. = manufacturing（製造）
hwy. = highway（ハイウエイ）
rm.　= room（部屋）

　ちなみに、飛行機、船、自動車についている GPS は、global positioning system（全地球測位システム）の略です。
　やはり、子音がのさばっていますね。

▶有声音と無声音について
VOICED CONSONANTS AND VOICELESS CONSONANTS

　子音には有声音（voiced consonants）と無声音 (voiceless consonants) があります。有声音は、のどに手を当てると声帯が動いているのを感じます。たとえば、日本語の「あ / い / う / え / お」です。のどが動いていますよね。英語の有声音の例としては、b, d, v, g などが挙げられます。

　無声音は、のどが動きません。口先で息を吐いたりする音が無声音です。無声音には、p, t, f, k などがあります。

　発声したときに、のどが動いていれば、有声音。口先で息を吐いたりする音は、のどが動かないので無声音です。日本語に無声音はないので、練習しましょうね。

▶二重音字について
DIGRAPH

「はじめに」で、「本書ではあまり触れない」としていた二重音字（digraph）ですが、基本単語によく出てくる3つだけは説明しておいたほうがよいと思ったので、簡単に紹介しておきます。2つの文字で1つの音を表すのが、二重音字です。

よく出てくる2文字の子音

Th 「ズ」と、にごるときと、「ス」と、にごらないときがあります。

ズ ［ð］——**This, That, They** （これ、あれ、彼ら）

ス ［θ］——**Think, Thumb, Bath** （考える、親指、風呂）

どちらも、上下の歯の間から舌を出して発音します。実は私、これが苦手！

Sh

シュ ［ʃ］——**Shop, Ship, Show** （店、船、見せる）

口をとがらせて、息をたっぷりと吐き出します。

Ch

チッ ［tʃ］——**Chip, Chin, Check** （破片・チップ、あご、調べる・小切手）

くちびるを朝顔形にとがらせて、力を入れて「チッ」。

そのほか、ph、wh、ch、ck などもありますが、幼稚園ではまだ習いません。

さいごに
AFTERWARDS

　音と文字を結ぶフォニックスをどのように学び、教えるか、そのアプローチにはいろいろあります。

　かつてフォニックスはクリエイティブではないという批判もありましたが、「指を使いながら、一音一音を丁寧に学び、音と文字との関係をきちんと身につけることがリーディング（読み）につながる」という評価が高まり、ここ数年、私が働いていた学校地区ではフォニックスを取り入れた教育法が広まっています。

　英語は、母音ではなく、子音を強調する言語であることを、繰り返し強調させていただきました。さまざまな意見もありますが、子音は 20 音とされています。

　本書では、その 20 音あるとされる英語の子音を、1 週間に 1 文字ずつ毎日学んでいくアメリカの幼稚園の学習の様子をもとにご紹介してきました。

　これは「ファンダメンタル」という学習スタイルで、アメリカの多くの州で取り入れられている学習法です。

　1 週間に一度、頭の冴えている朝一番の 30 分間ほどの授業で、ひとつの子音を学びます。d なら「ドゥッ」。d の発音ができたら d がブレンドされた単語を、指で数えながら学んでいきます。dog なら、d/o/g/ と音を一音一音、正確に発音し、それからその 3 音を続けるという教育法です。その後、習った文字をノートに書き、次の日は、もう一度、習った子音が入っている単語をいくつか書き、さらにその単語の絵を描いたりします。

　リタイヤしたあともアメリカの幼稚園で子どもたちに英語を教えていた私

は、それぞれの単語と関係のある絵本や、マザーグースの歌を使うとよいと、先生たちから助言されたものです。

　音を丁寧に一音一音、根気よく発音していく、こんなアメリカの学習法を、英語学習法のひとつのアイデアとして取り入れていただければ幸いです。

　子音、発音などの音声学的な面について、いつも相談にのってくれた元特別教育教師の　スーザン・パルマー Susan Palmer と元スペイン語・フランス語・司書教諭のマージイ・ブルー Margie Blue に、この場を借りて深く感謝いたします。

著者略歴

リーパー・すみ子
Sumiko Leeper

南山学園中学校・高等学校を経て成城大学文芸学部国文学科卒業。外国商社秘書、コピーライターとして勤務の後、渡米し、アイオワ州立大学大学院ジャーナリズム学部修士課程、ニューメキシコ大学教育学部図書館学コースを修了。1983年、ニューメキシコ州教員免許取得、アルバカーキ市の公立小学校で図書館司書として勤務した。リタイヤ後も、幼稚園で読み聞かせなどを担当して子どもたちの英語学習にたずさわる。コロナ禍で帰国する機会が減ったが、アメリカから布施明 " 推し " の日々を送っている。

著書：『ライブラリアン奮闘記』（径書房 1996年）/『えほんで楽しむ英語の
世界』（一声社 2003年）/『アメリカの小学校ではこうやって英語を
教えている』（径書房 2008年）/『アメリカの小学校では絵本で英
語を教えている』（径書房 2011年）/『年齢なんて単なる数字よ！』
（amazon ペーパーバック 2023年）など。

英語が話せない子どものための英語習得プログラム
単語編
アメリカの幼稚園では
こうやって英語を教えている
PHONICS OF CONSONANTS

2023年10月6日　第1刷発行

著者 ……………………… リーパー・すみ子

画 ………………………… 内山良治

ブックデザイン ………… 又吉るみ子

発行 ……………………… 株式会社 径（こみち）書房
〒 150-0043
東京都渋谷区道玄坂 1-10-8-2F-C
電話 03-6666-2971 / FAX 03-6666-2972
http://www.komichi.co.jp/

印刷 / 製本 …………………… 明和印刷 株式会社 / 株式会社 積信堂

ⓒ Sumiko Leeper 2023 Printed in Japan　ISBN 978-4-7705-0238-4

英語が話せない子どものための英語習得プログラム・シリーズ ①

アメリカの小学校では
こうやって英語を教えている
英語が話せない子どものための英語習得プログラム ライミング編

リーパー・すみ子＝著 / 九重加奈子＝画
定価：1650 円（本体 1500 円＋税）B5 変形並製
ISBN：978-4-7705-0201-8

アメリカの小学校で、英語が話せない・読めない・書けない移民の子どもたちに、長年、英語を教えてきた著者が、自分の経験を踏まえて日本の子どもたちのために書き下ろした英語学習法。

英語が話せない子どものための英語習得プログラム・シリーズ ②

アメリカの小学校では
絵本で英語を教えている

英語が話せない子どものための英語習得プログラム ガイデッド・リーディング編

リーパー・すみ子＝著／上原恵理子＝画
定価：2090 円（本体 1900 円＋税）B5 変形並製
ISBN：978-4-7705-0207-0

英語が話せない・読めない・書けない移民の子どもたちに、どうやって英語を教えるのか──。
長年にわたり試行錯誤が重ねられてきたアメリカで成功を収めたガイデッド・リーディングの手
法を、日本でもおなじみの名作英語絵本を使って具体的に紹介。子どもに英語を教えるすべて
の人にとっての必読書です。

英語の語源や単語なんて、
こうやって覚えればいいんだよ!!

渡邉 洋之 = 著

定価：1760 円（本体 1600 円＋税）　四六判並製
ISBN：978-4-7705-0227-8

こんな覚え方があったんだ!!　目から鱗の英単語習得法──。
知っている単語を、語源と結びつけるだけ。
豊富なイラストと、まったく新しい切り口で、
語源から楽しく英単語を覚える方法をご紹介します。